CROCK·POT

RECETTES CLASSIQUES

Broquet

97-B, Montée des Bouleaux, Saint-Constant, Qc, Canada, J5A 1A9
Tél. : 450.638.3338 / Téléc. : 450.638.4338
Internet : www.broquet.qc.ca / Courriel : info@broquet.qc.ca

Catalogage avant publication de Bibliothèque et Archives nationales du Québec et Bibliothèque et Archives Canada

Vedette principale au titre :

Crock-pot : recettes classiques

Traduction de : Crock-pot, the original slow cooker : classic recipes.

ISBN 978-2-89654-138-6

1. Cuisson lente à l'électricité. I. Ross, Patricia, 1954-   .

TX827.C7614 2010   641.5'884   C2009-941691-3

POUR L'AIDE À LA RÉALISATION DE SON PROGRAMME ÉDITORIAL, L'ÉDITEUR REMERCIE :
Le gouvernement du Canada par l'entremise du Programme d'aide au développement de l'industrie de l'édition (PADIÉ) ; la Société de développement des entreprises culturelles (SODEC) ; l'Association pour l'exportation du livre canadien (AELC).
Le gouvernement du Québec – Programme de crédit d'impôt pour l'édition de livres – Gestion SODEC.

Titre original : *Crock-pot, the original slow cooker : classic recipes*
Copyright © 2008 Publications International, Ltd.

Pour l'édition en langue française :

Copyright © Broquet inc., Ottawa 2009
Dépôt légal – Bibliothèque et Archives nationales du Québec et Bibliothèque et Archives Canada
4e trimestre 2009

TRADUCTION Patricia Ross
RÉVISION Andrée Laprise, Lise Lortie
INFOGRAPHIE Annabelle Gauthier, Sandra Martel

Imprimé en Chine
ISBN 978-2-89654-138-6

Photo sur la couverture : Minestrone de grand-mère Ruth (page 96).

Table des matières

La cuisson lente
conseils et astuces

Formats de mijoteuses

Les petites mijoteuses, comme les modèles de 1 à 3 ½ litres, ont un format idéal pour les personnes célibataires, vivant en couple ou sans enfants. Elles sont aussi parfaites pour la préparation des trempettes.

Les mijoteuses de format moyen (pouvant contenir entre 3 et 5 litres) permettent de faire cuire des mets pour une petite famille ; elles sont aussi pratiques pour la préparation des plats d'accompagnement et des hors-d'œuvre.

Les grandes mijoteuses sont idéales pour les grands repas de famille, les divertisse-ments de vacances et les dîners-partage. Une modèle de 6 ou 7 litres est idéal si vous voulez préparer des repas à l'avance ou le repas du soir et réserver les restes pour un autre jour.

Types de mijoteuses

Les modèles actuels de mijoteuses **Crock-Pot**MD sont dotés de nombreuses caracté-ristiques et avantages, allant de programmes d'auto-cuisson, à la cuve en grès à feu sécuritaire et à la programmation chronométrée. Visitez le site www.crockpot.com pour trouver la mijoteuse qui convient le mieux à vos besoins et à vos habitudes de vie.

Cuisson, brassage et sécurité alimentaire

Les mijoteuses **Crock-Pot**^{MD} sont sécuritaires lorsqu'elles sont laissées sans surveillance. La base chauffante extérieure peut devenir chaude en cours de cuisson, mais cela ne présente pas de risque d'incendie. L'élément chauffant dans la base fonctionne à faible puissance et est sans danger pour votre comptoir.

Votre mijoteuse doit être remplie au moins à moitié ou aux trois quarts de sa capacité pour la plupart des recettes, sauf indication contraire. Les viandes maigres, comme le poulet ou le filet de porc, cuiront plus rapidement que les viandes contenant plus de tissu conjonctif et de graisse, comme l'épaule de bœuf ou de porc. Les viandes non désossées mettront plus de temps à cuire que les viandes désossées. Les plats typiques préparés dans une mijoteuse devront braiser de 7 à 8 heures à LOW (basse intensité) ou de 3 à 4 heures à HIGH (haute intensité). Une fois que les légumes et la viande commencent à cuire et à braiser, leurs saveurs se mélangent complètement et la viande devient tendre à couper à la fourchette.

Selon le Département américain de l'Agriculture, toutes les bactéries sont tuées à une température de 75 °C (165 °F). Il est important de suivre les temps de cuisson recommandés et d'éviter autant que possible de soulever le couvercle, surtout au début de la cuisson, lorsque la chaleur s'installe à l'intérieur de l'unité. Si vous devez soulever le couvercle pour vérifier la cuisson ou ajouter des ingrédients, n'oubliez pas d'allouer plus de temps de cuisson, si nécessaire, pour faire en sorte que le mets soit tendre et bien cuit.

Il est judicieux, pour les grandes mijoteuses de 6 ou 7 litres, de remuer rapidement les aliments à mi-parcours du temps de cuisson, afin que la chaleur se distribue dans le mets et que la cuisson se fasse de façon uniforme. Il n'est généralement pas nécessaire de remuer les aliments, car aussi peu que ½ tasse (125 ml) de liquide contribue à distribuer la chaleur ; en outre, la cuve en grès est le moyen parfait pour maintenir les aliments à une température constante tout au long du processus de cuisson.

Cuve allant au four

Toutes les cuves amovibles **Crock-Pot**^{MD} peuvent être utilisées (sans leur couvercle) dans un four conventionnel à une température maximale de 200 °C (400 °F) en toute sécurité. En outre, toutes les cuves amovibles **Crock-Pot**^{MD}, sans leur couvercle, vont au micro-ondes. Si vous possédez une mijoteuse d'une autre marque, veuillez consulter votre manuel d'utilisation pour obtenir des conseils sur la sécurité à l'égard des fours conventionnels et des micro-ondes.

Aliments congelés

Les aliments congelés ou partiellement congelés peuvent être cuits dans une mijoteuse, mais le temps de cuisson devra être plus long que pour la même recette préparée avec des aliments frais. L'utilisation d'un thermomètre à lecture instantanée est recommandée afin de s'assurer que la viande est complètement cuite.

Pâtes et riz

Si vous adaptez une recette qui requiert des pâtes non cuites, faites cuire les pâtes selon les indications du fabricant pour les rendre tout juste tendres avant de les ajouter à la mijoteuse. Si vous adaptez une recette qui requiert du riz cuit, incorporez le riz non cuit aux autres ingrédients, ajoutez ¼ de tasse de liquide supplémentaire par ¼ de tasse de riz non cuit.

Haricots

Les haricots doivent être complètement ramollis avant d'être combinés à du sucre ou à des aliments acides. Le sucre et l'acide ont un effet de durcissement sur les haricots et les empêchent de ramollir. Les haricots en conserve complètement cuits remplacent les haricots secs.

Légumes

Les légumes-racines cuisent souvent plus lentement que la viande. Coupez les légumes en petits morceaux afin qu'ils cuisent au même rythme que la viande, qu'elle soit maigre ou marbrée, en petits ou gros morceaux. Placez les légumes près des côtés ou du fond de la cuve en grès afin qu'ils cuisent plus rapidement.

Herbes

Les herbes fraîches donnent de la saveur et de la couleur aux mets lorsqu'elles sont ajoutées à la fin de la cuisson ; mais pour les plats à cuisson plus courte, des herbes fraîches comme du romarin et du thym conserveront leurs arômes. Bon nombre d'herbes fraîches perdent de leur saveur après une longue cuisson lorsqu'elles sont ajoutées au début. Les herbes et les épices séchées ou moulues conviennent bien à la cuisson lente, car elles conservent leur saveur et peuvent être ajoutées au début. Le degré de saveur de toutes les herbes et épices peut varier considérablement en fonction de leur puissance et de leur durée de conservation. Utilisez les poudres de piment et les poudres d'ail avec parcimonie, car elles prolongent souvent les temps de cuisson. Avant de servir, goûtez toujours au plat fini afin d'ajuster l'assaisonnement, notamment le sel et le poivre.

Liquides

Il n'est pas nécessaire d'utiliser plus de ½ à 1 tasse (125 à 250 ml) de liquide dans la plupart des cas, car les jus de viande et de légumes s'évaporent moins à cuisson lente qu'à cuisson conventionnelle. Vous pouvez réduire ou concentrer le surplus de liquide après la cuisson lente, soit sur le feu, soit en retirant la viande et les légumes de la cuve en grès, en incorporant au liquide de la fécule de maïs ou du tapioca et en réglant la mijoteuse à HIGH. Faites réduire le jus à HIGH pendant environ 15 minutes ou jusqu'à ce qu'il épaississe.

Lait

Le lait, la crème et la crème sure se décomposent au cours de la cuisson prolongée. Si possible, ajoutez-les au cours des 15 à 30 dernières minutes de cuisson et laissez-les tout juste réchauffer. Les soupes concentrées peuvent remplacer le lait et cuire pendant de longues heures.

Poisson

Le poisson est un aliment délicat et doit être remué doucement au cours des 15 à 30 dernières minutes de cuisson. Faites-le bien cuire et servez-le immédiatement.

Les amuse-gueules classiques

Grignotines au cari

3 c. à soupe (45 ml) de beurre

2 c. à soupe (30 ml) de cassonade pâle bien tassée

1 ½ c. à thé (7 ml) de poudre de cari fort

¼ c. à thé (1 ml) de sel

¼ c. à thé (1 ml) de cumin moulu

2 tasses (500 ml) de bouchées de céréales de riz carrées

1 tasse (250 ml) de noix de Grenoble coupées en deux

1 tasse (250 ml) de canneberges séchées

Faire fondre le beurre dans une grande poêle. Ajouter la cassonade, la poudre de cari, le sel et le cumin ; bien mélanger. Ajouter les céréales, les noix et les canneberges ; remuer pour enrober. Transvider le mélange dans une mijoteuse **CROCK-POT**^{MD} de 4 ½ litres. Couvrir et laisser cuire à LOW pendant 3 heures. Retirer le couvercle ; laisser cuire à découvert pendant 30 minutes.

| 16 portions | Préparation : 5 minutes | Cuisson : 3 ½ heures (LOW) |

Trempette à tacos facile

½ lb (125 g) de bœuf haché
1 tasse (250 ml) de maïs surgelé
½ tasse (125 ml) d'oignon haché
½ tasse (125 ml) de salsa
½ tasse (125 ml) de sauce à tacos légère
1 boîte (4 oz ou 125 ml) de piment vert doux, en dés
1 boîte (4 oz ou 125 ml) d'olives noires tranchées, égouttées
½ tasse (120 g) de fromage mexicain râpé
Croustilles de tortillas
Crème sure

1. Faire brunir le bœuf haché dans une grande poêle antiadhésive sur un feu moyen-vif en remuant pour défaire la viande. Égoutter le gras. Verser à la cuillère dans une mijoteuse **CROCK-POT**^{MD} de 4 ½ litres.

2. Ajouter le maïs, l'oignon, la salsa, la sauce à tacos, le piment doux et les olives dans la mijoteuse et bien mélanger. Couvrir et laisser cuire à LOW de 2 à 3 heures.

3. Juste avant de servir, incorporer le fromage. Servir avec des croustilles de tortillas et de la crème sure.

Astuce : Pour maintenir cette trempette chaude tout au long d'une fête, il suffit de la laisser dans la mijoteuse à LOW.

| 3 tasses de trempette | Préparation : 15 minutes | Cuisson : 2 à 3 heures (LOW) |

Ailes de poulet miel et moutarde

3 lb (1,5 kg) d'ailes de poulet
1 c. à thé (5 ml) de sel
1 c. à thé (5 ml) de poivre noir
½ tasse (125 ml) de miel
½ tasse (125 ml) de sauce barbecue
2 c. à soupe (30 ml) de moutarde brune épicée
1 gousse d'ail, hachée
3 à 4 tranches de citron minces

1. Couper et jeter le bout des ailes de poulet. Couper chaque aile à l'articulation pour faire 2 morceaux. Saupoudrer de sel et de poivre ; placer les morceaux d'ailes de poulet sur une lèchefrite. Faire griller les ailes à 10 à 12 cm (4 ou 5 po) de l'élément chauffant pendant environ 10 minutes, en les retournant à mi-temps de cuisson. Mettre dans une mijoteuse **CROCK-POT**^{MD} de 4 ½ litres.

2. Mettre le miel, la sauce barbecue, la moutarde et l'ail dans un petit bol ; bien mélanger. Verser la sauce sur les ailes de poulet. Tapisser de tranches de citron. Couvrir et laisser cuire à LOW de 4 à 5 heures.

3. Retirer et jeter les tranches de citron. Servir les ailes nappées de sauce.

Environ 24 ailes   Préparation : 20 minutes   Cuisson : 4 à 5 heures (LOW)

Trempette crémeuse parmesan et artichaut

2 boîtes (14 oz ou 435 ml chacune) de cœurs d'artichaut, égouttés et hachés

2 tasses (8 oz ou 225 g) de mozzarella râpée

1 ½ tasse (375 ml) de parmesan râpé

1 ½ tasse (375 ml) de mayonnaise

½ tasse (125 ml) d'oignon finement haché

½ c. à thé (2 ml) d'origan séché

¼ c. à thé (1 ml) de poudre d'ail

4 pains pita

Légumes variés coupés

1. Mettre tous les ingrédients sauf le pain pita et les légumes coupés dans une mijoteuse **CROCK-POT**^{MD} de 1 ½ litre et bien mélanger.

2. Couvrir et laisser cuire à LOW pendant 2 heures.

3. Juste avant de servir, couper le pain pita en pointes. Dresser les légumes et le pain pita dans une assiette ; servir accompagné de trempette chaude.

Environ 4 tasses de trempette   **Préparation :** 10 minutes   **Cuisson :** 2 heures (LOW)

Chili con Queso

1 paquet (16 oz ou 450 g) de fromage à tartiner pasteurisé, en cubes

1 boîte (10 oz ou 310 ml) de tomates en dés avec piment vert

1 tasse (250 ml) d'oignons verts tranchés

2 c. à thé (10 ml) de coriandre moulue

2 c. à thé (10 ml) de cumin moulu

¾ c. à thé (4 ml) de sauce au piment fort

Oignon vert en lanières (facultatif)

Tranches de piment fort (facultatif)

Croustilles de tortillas

1. Mettre le fromage à tartiner, les tomates, les oignons verts, la coriandre et le cumin dans une mijoteuse **CROCK-POT**^{MD} de 1 ½ litre et remuer jusqu'à ce que le tout soit bien mélangé.

2. Couvrir et laisser cuire à LOW de 2 à 3 heures ou jusqu'à ce que le mets soit chaud*.

3. Garnir de lanières d'oignons verts et de tranches de piment fort, si désiré. Servir avec des croustilles de tortillas.

Suggestion pour le service : Servir le Chili con Queso avec des croustilles de tortillas. Pour varier la présentation, couper du pain pita en triangles et faire griller dans un four préchauffé à 200 °C (400 °F) pendant 5 minutes ou jusqu'à ce que le pain soit croustillant.

La trempette sera très chaude ; soyez prudent au moment de servir.

| Environ 3 tasses | Préparation : 10 minutes | Cuisson : 2 à 3 heures (LOW) |

Fondue suisse au Chablis

3 tasses (750 ml) de Chablis ou autre vin blanc
2 c. à thé (10 ml) de jus de citron
½ c. à thé (2 ml) de zeste de citron râpé
1 ½ lb (675 g) de fromage suisse râpé
3 c. à soupe (45 ml) de farine tout usage
3 c. à soupe (45 ml) de kirsch ou de liqueur de cerise
1 c. à thé (5 ml) de macis, fraîchement moulu
1 c. à thé (5 ml) de poivre noir
½ c. à thé (2 ml) de paprika
1 pain croûté italien de type paysan, coupé en cubes
      de 4 cm (1 ½ po)
Légumes frais, coupés pour faire trempette

1. Mettre le vin, le jus de citron et le zeste de citron dans une casserole sur un feu moyen-vif. Amener à ébullition.

2. Mélanger le fromage et la farine dans un bol moyen. Ajouter progressivement le fromage dans la casserole en remuant constamment jusqu'à ce que le fromage soit complètement fondu. Ajouter le kirsch et bien mélanger. Ajouter le macis, le poivre et le paprika et bien remuer.

3. Verser le mélange au fromage dans une mijoteuse **CROCK-POT**MD de 5 ou 6 litres. Couvrir et laisser cuire à HIGH pendant 30 minutes. Réduire le feu à LOW et laisser cuire encore de 2 à 5 heures en remuant de temps en temps. Servir avec du pain italien et des légumes.

| 6 à 8 portions | Préparation : 15 minutes | Cuisson : 30 minutes (HIGH) plus 2 à 5 heures (LOW) |

Caponata

- 1 aubergine moyenne (environ 1 lb ou 450 g), pelée et coupée en morceaux de 1 cm (½ po)
- 1 boîte (environ 14 oz ou 435 ml) de tomates italiennes, en dés
- 1 oignon moyen, haché
- 1 poivron rouge, coupé en morceaux de 1 cm (½ po)
- ½ tasse (125 ml) de salsa semi-piquante
- ¼ tasse d'huile d'olive extravierge
- 2 c. à soupe (30 ml) de câpres, égouttées
- 2 c. à soupe (30 ml) de vinaigre balsamique
- 3 gousses d'ail, hachées
- 1 c. à thé (5 ml) d'origan séché
- ¼ c. à thé (1 ml) de sel
- ⅓ tasse de basilic frais, coupé en fines lanières
  Tranches de pain français ou italien grillé

1. Mélanger les aubergines, les tomates, l'oignon, le poivron, la salsa, l'huile, les câpres, le vinaigre, l'ail, l'origan et le sel dans une mijoteuse **CROCK-POT**ᴹᴰ de 4½ litres. Couvrir et laisser cuire à LOW de 7 à 8 heures ou jusqu'à ce que les légumes soient tendres et légèrement croquants.

2. Incorporer le basilic. Servir à température ambiante sur du pain grillé.

Environ 5¼ tasses   **Préparation :** 15 minutes   **Cuisson :** 7 à 8 heures (LOW)

Côtes levées à l'asiatique

2 carrés de petites côtes levées de dos de porc, chacun divisé en 3 sections

6 oz (170 g) de sauce hoisin

2 c. à soupe (30 ml) de gingembre, fraîchement haché

½ tasse (125 ml) de cerises au marasquin

½ tasse (125 ml) de vinaigre de riz

Eau pour couvrir

4 oignons verts, hachés

Mélanger les côtes, la sauce hoisin, le gingembre, les cerises, le vinaigre et l'eau dans une mijoteuse **CROCK-POT**MD de 4 ½ litres. Couvrir et laisser cuire à LOW de 6 à 7 heures ou à HIGH de 3 à 3 ½ heures ou jusqu'à ce que la viande de porc soit cuite. Saupoudrer d'oignons verts avant de servir.

| 6 à 8 portions | Préparation : 10 à 15 minutes | Cuisson : 6 à 7 heures (LOW) ou 3 à 3 ½ heures (HIGH) |

Saucisses cocktail aigres-douces épicées

2 paquets (8 oz ou 225 g chacun) de saucisses cocktail
½ tasse (125 ml) de ketchup ou de sauce chili
½ tasse (125 ml) d'abricots en conserve
1 c. à thé (5 ml) de sauce au piment fort
Sauce au piment fort additionnelle (facultatif)

1. Mettre tous les ingrédients dans une mijoteuse **CROCK-POT**MD de 1 ½ litre et bien mélanger. Couvrir et laisser cuire à LOW de 2 à 3 heures.

2. Servir tiède ou à température ambiante avec de la sauce au piment fort supplémentaire, si désiré.

Environ 4 douzaines de saucisses cocktail	Préparation : 8 minutes	Cuisson : 2 à 3 heures (LOW)

Mélange de grignotines

3 tasses (750 ml) de bouchées de céréales de riz carrées

2 tasses (500 ml) d'anneaux de céréales d'avoine grillées

2 tasses (500 ml) de bouchées de céréales de blé carrées

1 tasse (250 ml) d'arachides ou de pistaches

1 tasse (250 ml) de bâtonnets de bretzel minces

½ tasse (125 ml ou 1 bâtonnet) de beurre, fondu

1 c. à soupe (15 ml) de sauce Worcestershire

1 c. à thé (5 ml) de sel assaisonné

½ c. à thé (2 ml) de poudre d'ail

⅛ c. à thé (0,5 ml) de piment rouge moulu (facultatif)

1. Mélanger les céréales, les noix et les bretzels dans une mijoteuse **CROCK-POT**MD de 4 ½ litres.

2. Mélanger le beurre, la sauce Worcestershire, le sel assaisonné, la poudre d'ail et le poivron rouge, si désiré, dans un petit bol. Verser sur le mélange de céréales dans la mijoteuse, puis remuer pour enrober légèrement le tout.

3. Couvrir et laisser cuire à LOW pendant 3 heures, en remuant bien toutes les 30 minutes. Laisser cuire encore 30 minutes à découvert. Conserver le mélange de grignotines dans un contenant hermétique.

10 portions	Préparation : 15 minutes	Cuisson : 3 ½ heures (LOW)

Boulettes de viande glacées à l'érable

1 ½ tasse (375 ml) de ketchup

1 tasse (250 ml) de sirop d'érable ou de sirop aromatisé à l'érable

⅓ tasse (75 ml) de sauce soja à faible teneur en sodium

1 c. à soupe (15 ml) de tapioca à cuisson rapide

1 ½ c. à thé (7 ml) de piment de la Jamaïque moulu

1 c. à thé (5 ml) de moutarde sèche

2 paquets (environ 16 oz ou 450 g chacun) de boulettes de viande entièrement cuites congelées, partiellement décongelées et séparées

1 boîte (20 oz ou 635 ml) de morceaux d'ananas dans leur jus, égouttés

1. Mélanger le ketchup, le sirop d'érable, la sauce soja, le tapioca, la moutarde et le piment de la Jamaïque dans une mijoteuse **CROCK-POT**ᴹᴰ de 4 ½ litres.

2. Ajouter délicatement les boulettes de viande et les morceaux d'ananas dans le mélange au ketchup.

3. Couvrir et laisser cuire à LOW de 5 à 6 heures. Mélanger avant de servir.

Variante : Servir sur du riz cuit chaud en guise d'entrée.

| Environ 48 boulettes | Préparation : 10 minutes | Cuisson : 5 à 6 heures (LOW) |

Fondue à la pizza

½ lb (125 g) de chair à saucisses italiennes

1 tasse (250 ml) d'oignon haché

2 pots (26 oz ou 800 ml chacun) de sauce pour pâtes
sans viande

4 oz (120 g) de jambon en tranches, haché finement

1 paquet (3 oz ou 90 g) de pepperoni en tranches,
haché finement

¼ c. à thé (1 ml) de flocons de piment rouge

1 lb (450 g) de mozzarella, coupée en cubes de 2 cm (¾ po)

1 miche de pain français ou italien, coupée en cubes de
2,5 cm (1 po)

1. Faire brunir la saucisse et l'oignon dans une grande poêle sur un feu moyen-vif jusqu'à ce que la saucisse ait perdu sa couleur rose, en remuant pour défaire la viande. Égoutter le gras. Transvider le mélange de saucisses dans une mijoteuse **CROCK-POT**^{MD} de 4 ½ litres.

2. Incorporer la sauce pour pâtes, le jambon, le pepperoni et les flocons de piment. Couvrir et laisser cuire à LOW de 3 à 4 heures.

3. Servir la fondue avec des cubes de fromage et de pain.

| 20 à 25 portions | Préparation : 15 minutes | Cuisson : 3 à 4 heures (LOW) |

Saucisses à la bière

1 ½ lb (675 g) de saucisse à griller (environ 5 ou 6)

1 bouteille (12 oz ou 375 ml) de *ale* ambrée

1 oignon moyen, tranché finement

2 c. à soupe (30 ml) de cassonade bien tassée

2 c. à soupe (30 ml) de vinaigre de vin rouge
     ou de vinaigre de cidre

Moutarde brune épicée

Pain de seigle à cocktail

1. Mélanger les saucisses, l'oignon, la cassonade et le vinaigre dans une mijoteuse **CROCK-POT**^{MD} de 4 ½ litres. Couvrir et laisser cuire à LOW de 4 à 5 heures.

2. Retirer les saucisses et l'oignon de la mijoteuse. Couper les saucisses en tranches de 1 cm (½ po) d'épaisseur. Pour faire des mini-canapés, étendre de la moutarde sur du pain de seigle à cocktail. Garnir de tranches de saucisse et d'oignon cuit.

Astuce : Choisir une bière au goût léger pour la cuisson des saucisses.

| 30 à 36 amuse-gueules | Préparation : 5 minutes | Cuisson : 4 à 5 heures (LOW) |

Rondins de saucisson sucré et épicé

1 **lb (450 g) de saucisson kielbasa coupé en rondins**
    de 8 mm (¼ po) d'épaisseur
⅔ tasse de confiture de mûres
⅓ tasse (75 ml) de sauce à bifteck
1 c. à soupe (15 ml) de moutarde préparée
½ c. à thé (2 ml) de piment de la Jamaïque moulu

1. Mettre tous les ingrédients dans une mijoteuse **CROCK-POT**ᴹᴰ de 4 ½ litres, puis remuer pour enrober complètement. Faire cuire à HIGH pendant 3 heures ou jusqu'à ce que les rondins soient richement laqués.

2. Servir avec des pique-fruits à cocktail décoratifs.

| 3 tasses | Préparation : 10 minutes | Cuisson : 3 heures (HIGH) |

Les plats de résistance préférés

Rôti de porc aux fruits

1 tasse (250 ml) d'eau
½ tasse (125 ml) de sel casher ou de gros sel
2 c. à soupe (30 ml) de sucre
1 c. à thé (5 ml) de thym séché
2 feuilles de laurier entières
1 rôti de porc (environ 4 lb ou 2 kg)
3 c. à soupe (45 ml) d'huile d'olive
2 tasses (500 ml) de raisins verts
1 tasse (250 ml) d'abricots séchés
1 tasse (250 ml) de pruneaux séchés
2 gousses d'ail, hachées
1 tasse (250 ml) de vin rouge
Jus de ½ citron

1. Mélanger l'eau, le sel, le sucre, le thym et les feuilles de laurier dans un grand sac de plastique refermable ou dans un contenant en plastique ou en verre (ne pas utiliser de contenant en métal). Ajouter le rôti de porc. Faire mariner jusqu'au lendemain ou jusqu'à 2 jours au réfrigérateur, en retournant la viande de temps en temps.

2. Retirer le rôti de la saumure et assécher légèrement. Chauffer l'huile dans une poêle sur un feu moyen. Faire brunir le rôti de porc de tous côtés, de 5 à 10 minutes, en le retournant dès qu'il est bruni. Transvider dans une mijoteuse **CROCK-POT**^{MD} de 4 ½ litres.

3. Ajouter le reste des ingrédients. Remuer délicatement pour mélanger. Couvrir et laisser cuire à LOW de 7 à 9 heures ou à HIGH de 3 à 5 heures. Servir sur du riz ou du couscous.

6 à 8 portions	Préparation : 15 minutes plus le temps de macération	Cuisson : 7 à 9 heures (LOW) ou 3 à 5 heures (HIGH)

Bœuf bourguignon

6 tranches de bacon, coupées en morceaux de 2,5 à 5 cm
   (1 à 2 po)

3 lb (1,5 kg) de rôti de bœuf de croupe, coupé en cubes
   de 2,5 cm (1 po)

1 grosse carotte, pelée et tranchée

1 oignon moyen, tranché

1 c. à thé (5 ml) de sel

½ c. à thé (2 ml) de poivre noir

3 c. à soupe (45 ml) de farine tout usage

1 boîte (10 oz ou 310 ml) de bouillon de bœuf concentré

2 tasses (500 ml) de vin rouge (comme du Bourgogne)

1 lb (450 g) de champignons frais, tranchés

½ lb (125 g) de petits oignons blancs, pelés

1 c. à soupe (15 ml) de pâte de tomate

2 gousses d'ail, hachées

½ c. à thé (2 ml) de thym séché

1 feuille de laurier entière

1. Faire cuire le bacon dans la poêle à feu moyen jusqu'à ce qu'il soit croustillant. Retirer et réserver.

2. Mettre les cubes de bœuf dans la poêle et bien brunir. Retirer et réserver.

3. Faire brunir la carotte et l'oignon dans la poêle. Mettre dans une mijoteuse **CROCK-POT**^{MD} de 4 ½ litres. Assaisonner de sel et de poivre. Incorporer la farine, ajouter le bouillon et bien mélanger. Incorporer le bœuf et le bacon.

4. Ajouter le vin, les champignons, les oignons, la pâte de tomate, l'ail, le thym et le laurier. Couvrir et laisser cuire à LOW de 10 à 12 heures ou à HIGH de 5 à 6 heures.

6 à 8 portions	Préparation : 15 minutes	Cuisson : 10 à 12 heures (LOW) ou 5 à 6 heures (HIGH)

Polenta et sauce au bœuf pimentée

     2 c. à soupe (30 ml) d'huile végétale
     2 lb (900 g) de rôti de bœuf de ronde, coupé en petits morceaux
     1 oignon jaune, pelé et haché finement
     2 gousses d'ail, coupées en dés
  1 ¾ tasse (425 ml) d'eau
     5 piments verts entiers en conserve, pelés et coupés en dés
     1 piment chipotle, en dés
     1 c. à thé (5 ml) de sel
     1 c. à soupe (15 ml) de farine tout usage
     1 c. à thé (5 ml) d'origan séché
     ½ c. à thé (2 ml) de cumin moulu
     ¼ c. à thé (1 ml) de poivre noir
     1 paquet (16 oz ou 450 g) de polenta préparée
       Coriandre fraîche (facultatif)

1. Chauffer l'huile dans une grande poêle sur un feu moyen. Saisir la viande de tous les côtés, en la retournant à mesure qu'elle brunit. Ajouter les oignons et l'ail au cours des dernières minutes de cuisson. Transvider dans une mijoteuse **CROCK-POT**^{MD} de 4 ½ litres.

2. Ajouter l'eau et les piments. Remuer pour bien mélanger. Couvrir et laisser cuire à LOW pendant 2 heures.

3. Mélanger le sel, la farine, l'origan, le cumin et le poivre noir dans un petit bol. Ajouter dans la mijoteuse. Remuer pour bien mélanger. Couvrir et laisser cuire à LOW pendant encore 3 à 4 heures.

4. Régler la mijoteuse à « réchaud ». Couper la polenta en rondins de 1 cm (½ po) d'épaisseur. Placer sur une plaque de cuisson graissée. Griller les rondins au four jusqu'à ce qu'ils soient croustillants, environ 4 minutes de chaque côté. Pour servir, dresser les rondins de polenta dans des assiettes individuelles et napper de sauce à la viande. Garnir de coriandre fraîche, si désiré.

| 4 à 6 portions | Préparation : 15 minutes | Cuisson : 5 à 6 heures (LOW) |

Enchiladas piquantes

Garniture à la viande

2	lb (900 g) de bifteck tri-tip, coupé en gros morceaux
1	tasse (250 ml) d'eau
½	tasse (125 ml) de tequila
5	gousses d'ail, hachées
1	piment serrano* en dés
1	piment jalapeño* en dés
	Sel casher et poivre noir fraîchement moulu, au goût

Sauce enchilada

5	boîtes (7 oz ou 220 ml chacune) de sauce tomatillo
1½	tasse (375 ml) de sauce tomate
1	lb (450 g) de Monterey Jack, râpé
3	boîtes (15½ oz ou 485 ml chacune) de haricots noirs, rincés et égouttés
1	boîte (8 oz ou 250 ml) de maïs, égoutté
16	tortillas de farine
1	boîte (7 oz ou 220 ml) de piment vert doux, en dés
½	tasse (125 ml) de crème sure (facultatif)
1	tasse (250 ml) de tomates fraîches hachées
¼	tasse (60 ml) de ciboulette, hachée

Le piment serrano et le piment jalapeño peuvent piquer et irriter la peau ; porter des gants en caoutchouc lors de la manipulation de piments et ne pas se toucher les yeux. Se laver les mains après manipulation.

1. La veille, préparer la viande. Mélanger la viande, l'eau, la tequila, l'ail et les poivrons dans une mijoteuse **CROCK-POT**ᴹᴰ de 4½ litres. Assaisonner de sel et de poivre. Couvrir et laisser cuire à LOW de 10 à 12 heures ou jusqu'à ce que le bœuf soit très tendre. Effilocher la viande. Réfrigérer jusqu'au moment de servir.

2. Pour faire la sauce enchilada, mélanger la sauce tomatillo et la sauce tomate dans une casserole sur un feu moyen. Faire cuire, en brassant, jusqu'à ce que la sauce soit chaude. Incorporer ¼ tasse (60 ml) de fromage.

3. Faire chauffer les haricots et le maïs dans une autre casserole. Remplir les tortillas avec la sauce, les haricots, le maïs, le fromage, la viande et les dés de piment. Conserver assez de fromage, de sauce et de piment pour la garniture. Rouler chaque tortilla. Disposer les rouleaux dans le moule graissé. Verser le reste de la sauce sur le dessus et saupoudrer le reste du fromage et des cubes de piment.

4. Couvrir la casserole de papier d'aluminium et faire cuire au four 15 minutes. Garnir de crème sure, de tomate et de ciboulette, si désiré. Servir immédiatement.

| Environ 8 tasses | Préparation : 30 minutes | Cuisson : 10 à 12 heures (LOW) |

Bœuf au piment vert

¼ tasse + 1 c. à soupe (60 ml + 15 ml) de farine tout usage
½ c. à thé (2 ml) de sel
¼ c. à thé (1 ml) de poivre noir
1 lb (450 g) de bœuf à ragoût
1 c. à soupe (15 ml) d'huile végétale
2 gousses d'ail, hachées
1 tasse (250 ml) de bouillon de bœuf
1 boîte (7 oz ou 220 ml) de piment vert doux, égoutté
½ c. à thé (2 ml) d'origan séché
2 c. à soupe (30 ml) d'eau
Riz cuit chaud (facultatif)
Tomate en dés (facultatif)

1. Mélanger ¼ tasse (60 ml) de farine, le sel et le poivre dans un sac de plastique refermable. Ajouter la viande ; secouer le sac pour bien enrober les morceaux. Chauffer l'huile dans une grande poêle sur un feu moyen-vif. Ajouter le bœuf et l'ail. Faire brunir la viande de tous les côtés. Placer le mélange au bœuf dans une mijoteuse **CROCK-POT**MD de 4 ½ litres. Verser le bouillon dans la poêle et déglacer. Verser le mélange de bouillon dans la mijoteuse. Ajouter le piment vert et l'origan.

2. Couvrir et laisser cuire à LOW de 7 à 8 heures. Pour une sauce plus épaisse, mélanger 1 c. à soupe (15 ml) de farine avec de l'eau dans un petit bol en remuant jusqu'à ce que le mélange soit lisse. Incorporer le mélange dans la mijoteuse et bien mélanger. Couvrir et laisser cuire jusqu'à épaississement.

3. Servir sur du riz et garnir de dés de tomate, si désiré.

Astuce : Utiliser 2 boîtes de piment pour un goût légèrement plus piquant.

4 portions	Préparation : 15 minutes	Cuisson : 7 à 8 heures (LOW)

Pommes de terre et jambon à la normande

1 steak de jambon (environ 1 ½ lb ou 675 g), coupé en cubes

6 grosses pommes de terre jaunes, coupées en rondins de
8 mm (¼ po) d'épaisseur

1 boîte (10 ¾ oz ou 310 ml) de crème de champignons concentrée

1 boîte (10 ¾ oz ou 310 ml) d'eau

4 oz (120 g) de cheddar râpé

Assaisonnement à grillades, au goût

1. Vaporiser l'intérieur d'une mijoteuse **CROCK-POT**ᴹᴰ de 4 ½ litres d'un aérosol de cuisson antiadhésif. Disposer des couches de jambon et de pommes dans la mijoteuse.

2. Mélanger la crème de champignons, l'eau, le fromage et l'assaisonnement dans un grand bol. Verser le mélange sur les pommes de terre et le jambon.

3. Couvrir et laisser cuire à HIGH pendant environ 3 ½ heures ou jusqu'à ce que les pommes de terre se défassent à la fourchette. Régler la mijoteuse à LOW et continuer la cuisson pendant 1 heure ou jusqu'à ce que le mets soit cuit.

5 à 6 portions	Préparation : 15 minutes	Cuisson : 3 ½ heures (HIGH) plus 1 heure (LOW)

Poitrines de poulet farcies

6 poitrines de poulet désossées, sans peau

8 oz (225 g) de feta émiettée

3 tasses (750 ml) d'épinards frais, hachés

⅓ tasse (75 ml) de tomates séchées au soleil dans l'huile, égouttées et hachées

1 c. à thé (5 ml) de zeste de citron haché

1 c. à thé (5 ml) de basilic, de menthe ou d'origan séché

½ c. à thé (2 ml) de poudre d'ail

Poivre noir fraîchement moulu, au goût

1 boîte (15 oz ou 470 ml) de tomates en dés, non égouttées

½ tasse (125 ml) d'olives à l'huile salée*

Polenta cuite chaude

Si vous utilisez des olives dénoyautées, ajoutez-les à la mijoteuse à la dernière heure de cuisson.

1. Placer une poitrine de poulet entre 2 feuilles de pellicule plastique. À l'aide d'un maillet à viande ou du fond de la poêle, marteler la poitrine jusqu'à ce qu'elle ait 9 mm (¼ po) d'épaisseur. Répéter l'opération avec le reste du poulet.

2. Mélanger la feta, les épinards, les tomates séchées, le zeste de citron, le basilic, l'ail en poudre et le poivre dans un bol moyen.

3. Déposer le poulet pilonné, le côté lisse vers le bas, sur la surface de travail. Placer environ 2 c. à soupe (30 ml) de mélange de fromage à l'extrémité la plus épaisse de la poitrine. Rouler serré. Répéter l'opération avec le reste du poulet.

4. Placer les poitrines de poulet roulées, le joint tourné vers le bas, dans une mijoteuse **CROCK-POT**ᴹᴰ de 4 ½ litres. Garnir de tomates en dés, ajouter le jus et les olives. Couvrir et laisser cuire à LOW de 5 ½ à 6 heures ou à HIGH pendant 4 heures. Servir avec la polenta.

6 portions	Préparation : 20 minutes	Cuisson : 5 ½ à 6 heures (LOW) ou 4 heures (HIGH)

Crevettes créoles

¼ tasse (60 ml ou ½ bâtonnet) de beurre

1 oignon, haché

¼ tasse (60 ml) de mélange à biscuit

3 tasses (750 ml) d'eau

1 tasse (250 ml) de céleri haché

1 tasse (250 ml) de poivron vert haché

2 boîtes (6 oz ou 185 ml chacune) de pâte de tomate

2 c. à thé (10 ml) de sel

½ c. à thé (2 ml) de sucre

2 feuilles de laurier

Poivre noir, au goût

4 lb (4 kg) de crevettes, décortiquées, déveinées et nettoyées

Riz cuit chaud

1. Faire fondre le beurre dans une poêle sur un feu moyen et y faire cuire l'oignon jusqu'à ce qu'il soit tendre. Incorporer le mélange à biscuit. Mettre le mélange dans une mijoteuse **CROCK-POT**ᴹᴰ de 4½ litres.

2. Ajouter de l'eau, le céleri, le poivron, la pâte de tomate, le sel, le sucre, les feuilles de laurier et le poivre noir. Couvrir et laisser cuire à LOW de 6 à 8 heures.

3. Régler la mijoteuse à HIGH et ajouter les crevettes. Laisser cuire de 45 minutes à 1 heure ou jusqu'à ce que les crevettes sont cuites. Retirer les feuilles de laurier. Servir sur du riz.

8 à 10 portions	Préparation : 25 minutes	Cuisson : 6 à 8 heures (LOW) plus 45 minutes à 1 heure (HIGH)

Casserole de poulet chipotle

1 lb (450 g) de cuisses de poulet désossées, sans peau, coupées en cubes

1 c. à thé (5 ml) de sel

1 c. à thé (5 ml) de cumin moulu

1 feuille de laurier

1 piment chipotle en sauce adobo, haché

1 oignon moyen, en dés

1 boîte (15 oz ou 470 ml) de haricots blancs, rincés et égouttés

1 boîte (15 oz ou 470 ml) de haricots noirs, rincés et égouttés

1 boîte (14 ½ oz ou 450 ml) de tomates broyées, non égouttées

1 ½ tasse (375 ml) de bouillon de poulet

½ tasse (125 ml) de jus d'orange

¼ tasse (60 ml) de coriandre fraîche hachée (facultatif)

Mettre tous les ingrédients, sauf la coriande, dans une mijoteuse **CROCK-POT**ᴹᴰ de 4 ½ litres. Couvrir et laisser cuire à LOW de 7 à 8 heures ou à HIGH de 3 ½ à 4 heures. Retirer la feuille de laurier avant de servir. Garnir de coriandre, si désiré.

6 portions	Préparation : 10 à 15 minutes	Cuisson : 7 à 8 heures (LOW) ou 3 ½ à 4 heures (HIGH)

Dinde à la relish aux cerises

1 sac (16 oz ou 450 g) de cerises noires surgelées, grossièrement hachées

1 boîte (environ 14 oz ou 435 ml) de tomates italiennes en dés avec jalapeños

1 paquet (6 oz ou 170 g) de canneberges séchées à saveur de cerises ou de cerises séchées, hachées grossièrement

2 petits oignons, en tranches fines

1 petit poivron vert, haché

½ tasse (125 ml) de cassonade tassée

2 c. à soupe (30 ml) de tapioca

1 ½ c. à soupe (25 ml) de sel

½ c. à thé (2 ml) de cannelle moulue

½ c. à thé (2 ml) de poivre noir

1 poitrine de dinde non désossée (environ 2 ½ à 3 lb ou 1 à 1,5 kg)

2 c. à soupe (30 ml) d'eau

1 c. à soupe (15 ml) de fécule de maïs

1. Déposer les cerises, les tomates, les canneberges, les oignons, le poivron, la cassonade, le tapioca, le sel, la cannelle et le poivre noir dans une mijoteuse **CROCK-POT**^{MD} de 4 ½ litres et bien mélanger.

2. Placer la dinde sur le dessus du mélange. Couvrir et laisser cuire à LOW de 7 à 8 heures ou jusqu'à ce qu'un thermomètre à viande inséré dans la partie la plus épaisse de la poitrine (sans toucher l'os) indique plus de 75 °C (170 °F). Retirer la dinde de la mijoteuse et garder au chaud.

3. Régler la mijoteuse à HIGH. Mélanger l'eau et la fécule de maïs dans un petit bol pour former une pâte lisse. Incorporer dans le mélange aux cerises. Cuire, à découvert, à HIGH pendant 15 minutes ou jusqu'à ce que la sauce ait épaissi. Rectifier l'assaisonnement, si désiré. Couper la dinde et napper de relish aux cerises.

| 4 à 6 portions | Préparation : 20 minutes | Cuisson : 7 à 8 heures (LOW) plus 15 minutes (HIGH) |

Poulet rôti aux petits pois, crème et prosciutto

1	poulet à rôtir (environ 2 ½ lb ou 1,15 kg), coupé en morceaux
	Sel et poivre, au goût
5	oz (140 g) de prosciutto, coupé en dés
1	petit oignon blanc, haché finement
½	tasse (125 ml) de vin blanc sec
1	paquet (10 oz ou 285 g) de pois verts surgelés
½	tasse (125 ml) de crème épaisse
1 ½	c. à soupe (25 ml) de fécule de maïs
2	c. à soupe (30 ml) d'eau
4	tasses (1 litre) de pâtes farfalle, cuites *al dente*

1. Assaisonner les morceaux de poulet de sel et de poivre. Mélanger le poulet, le jambon, les oignons et le vin dans une mijoteuse **CROCK-POT**^{MD} de 4 ½ litres. Couvrir et laisser cuire à LOW de 8 à 10 heures ou à HIGH de 4 à 5 ½ heures ou jusqu'à ce que la viande soit entièrement cuite.

2. Au cours des 30 dernières minutes de cuisson, ajouter les pois surgelés et la crème épaisse au liquide de cuisson. Retirer le poulet lorsqu'il est cuit. Découper la viande et réserver dans un plat réchauffé.

3. Mélanger la fécule de maïs et l'eau. Ajouter au liquide de cuisson dans la mijoteuse. Couvrir et laisser cuire à HIGH de 10 à 15 minutes ou jusqu'à épaississement.

4. Pour servir, verser des pâtes dans chaque assiette. Placer le poulet sur les pâtes et napper chaque portion de sauce.

6 portions	Préparation : 10 minutes	Cuisson : 8 à 10 heures (LOW) ou 4 à 5 ½ heures (HIGH)

Pointe de poitrine de bœuf braisée

- 2 c. à soupe (30 ml) d'huile d'olive
- 1 pointe de poitrine de bœuf (3 à 4 lb ou 1,5 à 2 kg)
  Sel et poivre, au goût
- 5 gousses d'ail, hachées
- 1 gros oignon jaune, coupé en dés
- 2 lb de pommes de terre à chair jaune, pelées et coupées
  en cubes de 2 cm (¾ po)
- 1 lb (450 g) de panais, pelés et coupés en tranches de
  2 cm (¾ po)
- 1 lb (450 g) de carottes, pelées et coupées en tranches
  de 2 cm (¾ po)
- 1 tasse (250 ml) de vin rouge
- 1 tasse (250 ml) de bouillon de bœuf
- ¼ tasse (60 ml) de pâte de tomate
- 1 c. à thé (5 ml) de thym séché
- 1 c. à thé (5 ml) de romarin
- 2 feuilles de laurier entières

1. Chauffer l'huile dans une poêle sur un feu moyen. Assaisonner la pointe de poitrine de sel et de poivre. Déposer l'ail et les oignons dans la poêle. Brunir la pointe de poitrine avec l'ail et l'oignon, 2 à 3 minutes de chaque côté. Transvider dans une mijoteuse **CROCK-POT**^{MD} de 4½ litres.

2. Ajouter le reste des ingrédients et bien mélanger. Couvrir et laisser cuire à LOW de 5½ à 7½ heures ou à HIGH de 3½ à 5½ heures ou jusqu'à ce que la viande soit bien cuite et tendre.

3. Retirer les feuilles de laurier. Trancher et servir.

6 portions	Préparation : 15 minutes	Cuisson : 5 ½ à 7 ½ heures (LOW) ou 3 ½ à 5 ½ heures (HIGH)

Rôti de porc désossé à l'ail

1 rôti de côtes de porc désossé (2 à 2 ½ lb ou 1 à 1,5 kg), rincé et asséché

Sel et poivre, au goût

3 c. à soupe (45 ml) d'huile d'olive

4 gousses d'ail, hachées

4 c. à soupe (60 ml) de romarin frais, haché

Ficelle de boucherie

½ citron, coupé en tranches minces

¼ tasse (60 ml) de vin blanc

½ tasse (125 ml) de bouillon de poulet

1. Dérouler le rôti de porc et assaisonner de sel et de poivre noir. Mélanger 2 c. à soupe (30 ml) d'huile, l'ail et le romarin dans un petit bol. Étaler sur la viande.

2. Rouler fermement la viande et attacher avec la ficelle. Glisser des tranches de citron derrière la ficelle et aux extrémités du rôti.

3. Chauffer 1 c. à soupe (15 ml) d'huile dans la poêle sur un feu moyen. Saisir le porc de tous les côtés jusqu'à ce que la viande soit dorée. Transvider dans une mijoteuse **CROCK-POT**ᴹᴰ de 4 ½ litres.

4. Remettre la poêle sur le feu. Ajouter le vin blanc et le bouillon en déglaçant. Verser sur la viande. Couvrir et laisser cuire à LOW de 8 à 9 heures ou à HIGH de 4 à 5 heures.

5. Mettre le rôti sur une planche à découper. Laisser reposer 10 minutes avant de retirer la ficelle et de trancher. Rectifier l'assaisonnement, si désiré. Pour servir, verser le jus de cuisson sur les tranches de porc.

4 à 6 portions	**Préparation :** 20 minutes	**Cuisson :** 8 à 9 heures (LOW) ou 4 à 5 heures (HIGH)

Poulet vesuvio

      3 c. à soupe (45 ml) de farine tout usage
   1 ½ c. à thé (7 ml) d'origan séché
      1 c. à thé (5 ml) de sel
      ½ c. à thé (2 ml) de poivre noir fraîchement moulu
      1 poulet à rôtir, coupé en morceaux, ou 3 lb (1,5 kg)
          de poulet non désossé en morceaux
      2 c. à soupe (30 ml) d'huile d'olive
      4 petites pommes de terre à cuisson au four, lavées,
          coupées en 8 quartiers chacune
      2 petits oignons, coupés en fins quartiers
      4 gousses d'ail, hachées
      ¼ tasse (60 ml) de bouillon de poulet
      ¼ tasse (60 ml) de vin blanc sec
      ¼ tasse (60 ml) de persil frais haché
         Quartiers de citron (facultatif)

1. Mélanger la farine, l'origan, le sel et le poivre dans un grand sac en plastique refermable ou en papier. Enlever l'excès de gras de poulet. Ajouter le poulet, plusieurs morceaux à la fois, dans le sac et secouer pour bien les enrober avec le mélange de farine. Chauffer l'huile dans une grande poêle sur un feu moyen. Ajouter le poulet et cuire de 10 à 12 minutes ou jusqu'à ce que la viande soit dorée de tous les côtés.

2. Placer les pommes de terre, l'oignon et l'ail dans une mijoteuse **CROCK-POT**ᴹᴰ de 4 ½ litres. Ajouter le bouillon et le vin. Ajouter les morceaux de poulet, verser sur le poulet le jus de cuisson de la poêle. Couvrir et laisser cuire à LOW de 6 à 7 heures ou à HIGH de 3 à 3 ½ heures ou jusqu'à ce que le poulet et les pommes de terre soient tendres.

3. Transvider le poulet et les légumes dans des assiettes de service ; napper du jus de la mijoteuse. Saupoudrer de persil. Servir avec des quartiers de citron.

| 4 à 6 portions | **Préparation :** 20 minutes | **Cuisson :** 6 à 7 heures (LOW) ou 3 à 3 ½ heures (HIGH) |

Les mets d'accompagnement traditionnels

Pommes de terre au bacon et fromage pour le brunch

3   pommes de terre à chair jaune (environ 2 lb ou 1 kg),
    pelées et coupées en cubes de 2,5 cm (1 po)
1   tasse (250 ml) d'oignon haché
½   c. à thé (2 ml) de sel assaisonné
4   tranches de bacon cuit croustillant, émiettées
1   tasse (4 oz ou 120 g) de cheddar fort râpé
1   c. à soupe (15 ml) d'eau ou de bouillon de poulet

1. Enduire l'intérieur d'une mijoteuse **CROCK-POT**^{MD} de 4 ½ litres d'un aérosol de cuisson. Placer la moitié des pommes de terre dans la mijoteuse. Saupoudrer la moitié de l'oignon sur les pommes de terre et assaisonner de sel ; garnir avec la moitié du bacon et du fromage. Refaire une autre couche, en terminant avec le fromage. Asperger d'eau ou de bouillon de poulet.

2. Couvrir et laisser cuire à LOW pendant 6 heures ou à HIGH pendant 3 ½ heures ou jusqu'à ce que les pommes de terre et les oignons soient tendres. Remuer délicatement pour mélanger et servir chaud.

6 portions	Préparation : 10 minutes	Cuisson : 6 heures (LOW) ou 3 ½ heures (HIGH)

Choucroute à l'ancienne

8 tranches de bacon, hachées

2 lb (900 g) de choucroute

1 grosse tête de chou ou 2 petites têtes

2½ tasses (625 ml) d'oignons hachés

4 c. à soupe (60 ml ou ½ bâtonnet) de beurre

2 c. à soupe (30 ml) de sucre

1 c. à thé (5 ml) de sel

1 c. à thé (5 ml) de poivre noir

1. Chauffer une poêle sur un feu moyen. Faire cuire le bacon en le retournant jusqu'à ce qu'il soit croustillant. Retirer la poêle du feu et réserver (ne pas égoutter le gras de bacon).

2. Placer la choucroute, le chou, les oignons, le beurre, le sucre, le sel et le poivre dans une mijoteuse **CROCK-POT**^{MD} de 4½ litres. Verser le bacon et le gras de bacon sur le mélange de choucroute. Couvrir et laisser cuire à LOW de 4 à 5 heures ou à HIGH de 1 à 3 heures.

Remarque : Ajouter à cette recette vos saucisses bratwurst, knockwurst ou autres saucisses préférées pour un repas complet.

8 à 10 portions	**Préparation :** 10 à 15 minutes	**Cuisson :** 4 à 5 heures (LOW) ou 1 à 3 heures (HIGH)

Épinards crémeux au cari

3 paquets (10 oz ou 285 g chacun)
   d'épinards surgelés, décongelés

1 oignon, haché

4 cuillères à thé (20 ml) d'ail émincé

2 c. à soupe (30 ml) de poudre de cari

2 c. à soupe (30 ml) de beurre, fondu

¼ tasse (60 ml) de bouillon de poulet

¼ tasse (60 ml) de crème épaisse

1 c. à thé (5 ml) de jus de citron

Mélanger les épinards, l'oignon, l'ail, le cari en poudre, le beurre et le bouillon dans une mijoteuse **CROCK-POT**^{MD} de 4 ½ litres. Couvrir et laisser cuire à LOW de 3 à 4 heures ou à HIGH pendant 2 heures ou jusqu'à ce que le mets soit cuit. Incorporer la crème et le jus de citron 30 minutes avant la fin de la cuisson.

6 à 8 portions	Préparation : 10 à 15 minutes	Cuisson : 3 à 4 heures (LOW) ou 2 heures (HIGH)

Riz et saucisses

½ lb (125 g) de chair à saucisses italiennes
2 tasses (500 ml) d'eau
1 tasse (250 ml) de riz à grain long non cuit
1 gros oignon, haché finement
1 gros poivron vert, haché finement
½ tasse (125 ml) de céleri finement haché
1 ½ c. à thé (7 ml) de sel
½ c. à thé (2 ml) de piment rouge moulu
½ tasse (125 ml) de persil frais haché

1. Brunir les saucisses dans une poêle, de 6 à 8 minutes, sur un feu moyen-vif, en remuant pour défaire la viande. Égoutter le gras. Mettre les saucisses dans une mijoteuse **CROCK-POT**^{MD} de 4 ½ litres.

2. Incorporer tous les ingrédients sauf le persil. Couvrir et laisser cuire à LOW pendant 2 heures. Ajouter le persil.

| 4 portions | Préparation : 10 à 15 minutes | Cuisson : 2 heures (LOW) |

Marmelade à l'oignon

1 bouteille (12 oz ou 375 ml) de vinaigre balsamique
1 bouteille (12 oz ou 375 ml) de vinaigre de vin blanc
3 c. à soupe (45 ml) de fécule d'*arrow-root* ou de maïs
2 c. à soupe (30 ml) d'eau
1 ½ tasse (375 ml) de cassonade foncée
2 c. à thé (10 ml) de graines de cumin
2 c. à thé (10 ml) de graines de coriandre
4 gros oignons jaunes, finement tranchés

1. Mettre le ventilateur en marche et faire chauffer les vinaigres dans une grande casserole à feu vif jusqu'à ce qu'ils soient réduits à ¼ tasse (60 ml). La sauce sera épaisse et sirupeuse. Retirer du feu. Mélanger la fécule d'*arrow-root* et l'eau dans une petite tasse. Ajouter à la sauce la cassonade, le cumin, la coriandre et le mélange à la fécule d'*arrow-root*; bien mélanger.

2. Mettre les oignons dans une mijoteuse **CROCK-POT**MD de 4 ½ litres. Incorporer le mélange au vinaigre et bien mélanger. Couvrir et laisser cuire à LOW de 8 à 10 heures ou à HIGH de 4 à 6 heures jusqu'à ce que les oignons ne soient plus croquants. Remuer de temps en temps pour empêcher le mélange de coller. Conserver au réfrigérateur pendant 2 semaines.

Astuce: Servir comme plat d'accompagnement ou comme condiment avec des œufs, des légumes et des viandes grillées, et sur des sandwiches.

5 tasses	Préparation: 40 minutes	Cuisson: 8 à 10 heures (LOW) ou 4 à 6 heures (HIGH)

Pommes de terre au fromage bleu

2 lb (900 g) de pommes de terre rouges, pelées et coupées
en morceaux de 1 cm (½ po)

1 ¼ tasse (310 ml) d'oignons verts hachés

2 c. à soupe (30 ml) d'huile d'olive

1 c. à thé (5 ml) de basilic séché

½ c. à thé (2 ml) de sel

½ c. à thé (1 ml) de poivre noir

2 oz (60 g) de fromage bleu émietté

1. Placer des couches de pommes de terre, 1 tasse (250 ml) d'oignons, 1 c. à soupe (15 ml) d'huile, le basilic, le sel et le poivre dans une mijoteuse **CROCK-POT**ᴹᴰ de 4 ½ litres. Couvrir et laisser cuire à LOW pendant 7 heures ou à HIGH pendant 4 heures

2. Incorporer délicatement le fromage et 1 c. à soupe (15 ml) d'huile. Si la mijoteuse est à LOW, monter à HIGH et laisser cuire encore 5 minutes pour permettre aux saveurs de se mélanger. Transvider les pommes de terre dans un plat de service et garnir avec ¼ tasse d'oignons.

---

5 portions   **Préparation :** 15 minutes   **Cuisson :** 7 heures (LOW)
ou 4 heures (HIGH) plus 5 minutes (HIGH)

Haricots rouges mijotés avec riz

  2 boîtes (15 oz ou 470 ml chacune) de haricots rouges,
    rincés et égouttés
  1 boîte (environ 14 oz ou 435 ml) de tomates en dés,
    non égouttées
  ½ tasse (125 ml) de céleri haché
  ½ tasse (125 ml) de poivron vert haché
  ½ tasse (125 ml) d'oignons verts hachés (blancs et verts)
  2 gousses d'ail, hachées
1 à 2 c. à thé (5 à 10 ml) de sauce au piment fort
  1 c. à thé (5 ml) de sauce Worcestershire
  1 feuille de laurier
    Riz cuit chaud

1. Mélanger tous les ingrédients sauf le riz dans une mijoteuse **CROCK-POT**^{MD} de 4 ½ litres. Couvrir et laisser cuire à LOW de 4 à 6 heures ou à HIGH de 2 à 3 heures.

2. Écraser légèrement le mélange à l'aide d'un pilon à pommes de terre pour l'épaissir. Continuer la cuisson à LOW de 30 à 60 minutes. Servir sur du riz.

---

6 portions (1 tasse ou 250 ml)   **Préparation :** 15 minutes   **Cuisson :** 4 à 6 heures (LOW)
                                                                    ou 2 à 3 heures (HIGH)

Casserole de maïs style polenta

- **1 boîte (14½ oz ou 450 ml) de bouillon de poulet**
- **½ tasse (125 ml) de farine de maïs**
- **1 boîte (7 oz ou 220 ml) de maïs, égoutté**
- **1 boîte (4 oz ou 125 ml) de piments verts en dés, égouttés**
- **¼ tasse (60 ml) de poivron rouge en dés**
- **½ c. à thé (2 ml) de sel**
- **¼ c. à thé (1 ml) de poivre noir**
- **1 tasse (4 oz ou 120 g) de cheddar râpé**

1. Verser le bouillon dans une mijoteuse **CROCK-POT**^{MD} de 4½ litres. Incorporer la farine de maïs en fouettant. Ajouter le maïs, les piments, le poivron, le sel et le poivre. Couvrir et laisser cuire à LOW de 4 à 5 heures ou à HIGH de 2 à 3 heures.

2. Incorporer le fromage. Poursuivre la cuisson à découvert de 15 à 30 minutes ou jusqu'à ce que le fromage fonde.

Suggestion pour le service : Mettre le mélange de maïs cuit dans des ramequins individuels légèrement graissés ou étendre dans une assiette à tarte ; couvrir et réfrigérer. Servir à température ambiante ou réchauffé au four conventionnel ou au micro-ondes.

6 portions	Préparation : 15 minutes	Cuisson : 4 à 5 heures (LOW) ou 2 à 3 heures (HIGH)

Purée de pommes de terre rustique à l'ail

2 lb (900 g) de pommes de terre à cuisson au four,
non pelées et coupées en morceaux de 1 cm (½ po)

¼ tasse (60 ml) d'eau

2 c. à soupe (30 ml) de beurre coupé en petits dés

1 ¼ c. à thé de sel

½ c. à thé (2 ml) de poudre d'ail

¼ c. à thé (1 ml) de poivre noir

1 tasse (250 ml) de lait

Mettre tous les ingrédients sauf le lait dans une mijoteuse **CROCK-POT**^{MD} de 4 ½ litres, puis remuer pour mélanger. Couvrir et laisser cuire à LOW pendant 7 heures ou à HIGH pendant 4 heures. Ajouter le lait aux pommes de terre. Écraser les pommes de terre au pilon ou au batteur électrique jusqu'à consistance lisse.

| 5 portions | **Préparation :** 10 à 15 minutes | **Cuisson :** 7 heures (LOW) ou 4 heures (HIGH) |

Casserole de riz sauvage et champignons

2 c. à soupe (30 ml) d'huile d'olive

½ oignon rouge moyen, en petits dés

1 gros poivron vert, en petits dés

8 oz (225 g) de champignons de Paris, en tranches fines

2 gousses d'ail, hachées

1 boîte (14 oz ou 435 ml) de tomates en dés, égouttées

1 c. à thé (5 ml) d'origan séché

1 c. à thé (5 ml) de paprika

2 c. à soupe (30 ml) de beurre

2 c. à soupe (30 ml) de farine

1 ½ tasse (375 ml) de lait

8 oz (225 g) de fromage râpé Pepper Jack, cheddar ou suisse

1 c. à thé (5 ml) de sel

½ c. à thé (2 ml) de poivre noir fraîchement moulu

2 tasses (500 ml) de riz sauvage, cuit selon les indications du fabricant

1. Chauffer l'huile dans une grande poêle sur un feu moyen. Ajouter l'oignon, le poivron vert et les champignons. Faire sauter de 5 à 6 minutes, en remuant occasionnellement, ou jusqu'à ce que les légumes aient ramolli. Ajouter l'ail, les tomates, l'origan et le paprika. Continuer la cuisson jusqu'à ce que le tout soit réchauffé. Verser dans un grand bol et laisser refroidir.

2. Faire fondre le beurre dans la même poêle sur un feu moyen ; incorporer la farine en fouettant. Cuire en remuant jusqu'à consistance lisse et dorée, environ 4 à 5 minutes. Incorporer le lait en fouettant et porter à ébullition. Incorporer le fromage râpé dans le lait en ébullition, en fouettant pour produire une sauce riche et veloutée. Incorporer le sel et le poivre.

3. Mélanger le riz sauvage cuit et les légumes sautés dans un grand bol. Incorporer la sauce au fromage et mélanger délicatement.

4. Enduire l'intérieur d'une mijoteuse **CROCK-POT**^{MD} de 4 ½ litres d'un aérosol de cuisson antiadhésif. Verser le mélange de riz sauvage dans la mijoteuse. Couvrir et laisser cuire à LOW de 4 à 6 heures ou à HIGH de 2 à 3 heures ou jusqu'à ce que le mets soit cuit.

| 4 à 6 portions | **Préparation :** 10 à 15 minutes | **Cuisson :** 4 à 6 heures (LOW) ou 2 à 3 heures (HIGH) |

Carottes glacées aux épices et à l'orange

- **1** paquet (32 oz ou 900 g) de mini-carottes
- **½** tasse (125 ml) de cassonade pâle tassée
- **½** tasse (125 ml) de jus d'orange
- **3** c. à soupe (45 ml) de beurre ou de margarine
- **¾** c. à thé (4 ml) de cannelle moulue
- **¼** c. à thé (1 ml) de muscade moulue
- **¼** tasse (60 ml) d'eau froide
- **2** c. à soupe (30 ml) de fécule de maïs

1. Mélanger tous les ingrédients sauf l'eau et la fécule de maïs dans une mijoteuse **CROCK-POT**^{MD} de 4 ½ litres. Couvrir et laisser cuire à LOW de 3 ½ à 4 heures ou jusqu'à ce que les carottes soient tendres et légèrement croquantes.

2. Dresser les carottes dans un bol de service. Transférer le jus de cuisson dans une petite casserole ; chauffer jusqu'à ébullition.

3. Mélanger l'eau et la fécule de maïs dans une tasse ou un petit bol jusqu'à ce que le mélange soit lisse ; incorporer au jus dans la casserole. Faire bouillir 1 minute ou jusqu'à épaississement, en remuant constamment. Verser sur les carottes.

---

6 portions   **Préparation :** 10 à 15 minutes   **Cuisson :** 3 ½ à 4 heures (LOW)

Macaroni au fromage

6 tasses (1,5 litre) de macaronis cuits
2 c. à soupe (30 ml) de beurre
4 tasses (1 litre) de lait évaporé
6 tasses (1,5 litre) de cheddar, râpé
2 c. à thé (10 ml) de sel
½ c. à thé (2 ml) de poivre noir

Dans un grand bol, mélanger le beurre aux macaronis. Incorporer aux macaronis le lait évaporé, le fromage, le sel et le poivre ; placer dans une mijoteuse **CROCK-POT**ᴹᴰ de 4 ½ litres. Couvrir et laisser cuire à HIGH de 2 à 3 heures.

Astuce : Pour du macaroni au fromage plus amusant, ajoutez-y quelques ingrédients savoureux : du poivron vert ou rouge en dés, des pois, des tranches de saucisses à hot-dog, des tomates hachées, de la viande hachée cuite ou de l'oignon haché. Usez de créativité !

| 6 à 8 portions | Préparation : 10 à 15 minutes | Cuisson : 2 à 3 heures (HIGH) |

Risotto de riz sauvage et cerises séchées

1 tasse (250 ml) d'arachides salées grillées à sec
2 c. à soupe (30 ml) d'huile de sésame
1 tasse (250 ml) d'oignon haché
6 oz (170 g) de riz sauvage non cuit
1 tasse (250 ml) de carottes en dés
1 tasse (250 ml) de poivron rouge ou vert haché
½ tasse (125 ml) de cerises séchées
⅛ à ¼ c. à thé (0,5 à 1 ml) de flocons de piment rouge
4 tasses (1 litre) d'eau chaude
¼ tasse (60 ml) de sauce teriyaki ou de sauce soja
1 c. à thé (5 ml) de sel, ou au goût

1. Enduire l'intérieur d'une mijoteuse **CROCK-POT**MD de 4 ½ litres d'un aérosol de cuisson antiadhésif. Chauffer l'huile dans une grande poêle sur un feu moyen-vif. Ajouter les arachides. Faire cuire en remuant 2 à 3 minutes ou jusqu'à ce que les arachides commencent à brunir. Transvider les arachides dans une assiette et mettre de côté.

2. Chauffer 2 c. à thé (10 ml) d'huile de sésame dans la poêle. Ajouter l'oignon. Faire cuire en remuant 6 minutes ou jusqu'à ce que l'oignon soit richement doré. Transvider dans la mijoteuse.

3. Incorporer le riz sauvage, les carottes, le poivron, les cerises, les flocons de piment et l'eau. Couvrir et laisser cuire à HIGH pendant 3 heures.

4. Laisser reposer 15 minutes, à découvert, jusqu'à ce que le riz ait absorbé le liquide. Incorporer la sauce teriyaki, les arachides, le reste de l'huile et le sel.

| 8 à 10 portions | Préparation : 5 minutes | Cuisson : 3 heures (HIGH) |

Courge d'été rôtie avec noix de pin et fromage romano

  2 c. à soupe (30 ml) d'huile d'olive extravierge
  ½ tasse (125 ml) d'oignon jaune haché
  1 poivron rouge moyen, évidé, épépiné et haché
  1 gousse d'ail, hachée
  3 courgettes moyennes, coupées en tranches de 1 cm (½ po)
  3 courges d'été moyennes, coupées en tranches de 1 cm (½ po)
  ½ tasse (125 ml) de noix de pin hachée
  ⅓ tasse (75 ml) de romano râpé
  1 c. à thé (5 ml) d'assaisonnements italiens séchés
  1 c. à thé (5 ml) de sel
  ¼ c. à thé (1 ml) de poivre noir
  1 c. à soupe (15 ml) de beurre non salé, coupé en petits dés

1. Chauffer l'huile dans une poêle sur un feu moyen-vif. Ajouter l'oignon, le poivron et l'ail. Cuire en remuant jusqu'à ce que les oignons soient translucides et tendres, environ 10 minutes. Transvider dans une mijoteuse **CROCK-POT**MD de 4 ½ litres.

2. Ajouter les courgettes et les courges d'été. Mélanger légèrement.

3. Mélanger les noix de pins, le fromage, les assaisonnements italiens, le sel et le poivre dans un petit bol. Mettre la moitié du mélange au fromage dans les courgettes. Saupoudrer le reste du mélange au fromage sur le dessus. Garnir de dés de beurre. Couvrir et laisser cuire à LOW de 4 à 6 heures.

---

6 à 8 portions   Préparation : 15 à 20 minutes   Cuisson : 4 à 6 heures (LOW)

Les soupes et les ragoûts réconfortants

Soupe aux pois à l'ancienne

- **4 litres de bouillon de poulet**
- **2 lb (900 g) de pois cassés secs**
- **1 tasse (250 ml) de jambon haché**
- **½ tasse (125 ml) d'oignon haché**
- **½ tasse (125 ml) de céleri haché**
- **2 c. à thé (10 ml) de sel**
- **2 c. à thé (10 ml) de poivre noir**

1. Mettre tous les ingrédients dans une mijoteuse **CROCK-POT**^{MD} de 6 à 7 litres. Remuer pour bien mélanger. Couvrir et laisser cuire à LOW de 8 à 10 heures ou à HIGH de 4 à 6 heures ou jusqu'à ce que les pois soient tendres.

2. Mélanger à l'aise d'un batteur ou mélangeur à main à basse vitesse jusqu'à consistance lisse.

8 portions	Préparation : 5 minutes	Cuisson : 8 à 10 heures (LOW) ou 4 à 6 heures (HIGH)

Ragoût de jarrets de porc braisés avec couscous israélien et légumes-racines

4	jarrets de porc avec l'os, sans la peau (environ 1 ½ lb ou 675 g en tout)
	Gros sel et poivre noir, au goût
1	tasse (250 ml) d'huile d'olive
4	grosses carottes, pelées et tranchées en diagonale en segments de 2,5 cm (1po)
4	branches de céleri, tranchées en diagonale en segments de 2,5 cm (1 po)
1	oignon espagnol, pelé et coupé en quartiers
4	gousses d'ail pelées et écrasées
4 à 6	tasses (1 à 1,5 litre) de bouillon de poulet à faible teneur en sodium
2	tasses (500 ml) de vin blanc sec
¼	tasse (60 ml) de pâte de tomate
¼	tasse (60 ml) de vinaigre blanc
2	c. à soupe (30 ml) d'huile de moutarde* (facultatif)
1	c. à soupe (15 ml) de poivre noir entier
	Couscous israélien, préparé selon les indications du fabricant

L'huile de moutarde est vendue dans les épiceries moyen-orientales ou dans les allées des aliments exotiques de nombreux supermarchés.

1. Assaisonner les jarrets de sel et de poivre, au goût. Chauffer l'huile dans une grande poêle sur un feu moyen. Faire brunir les jarrets sur tous les côtés, en les retournant à mesure qu'ils brunissent. Transvider les jarrets dans une mijoteuse **CROCK-POT**^{MD} de 4 ½ litres.

2. Ajouter la moitié des carottes, la moitié du céleri, l'oignon, l'ail et l'huile dans la poêle. Cuire en remuant sur un feu moyen-doux jusqu'à ce que les légumes soient tendres mais non brunis, environ 5 minutes. Transvider dans la mijoteuse.

3. Ajouter le bouillon, le vin, la pâte de tomate, le vinaigre, l'huile de moutarde, si désiré, et les grains de poivre dans la poêle. Amener à ébullition en déglaçant. Verser sur les jarrets de porc. Couvrir et laisser cuire à HIGH pendant 2 heures, en retournant les jarrets de porc toutes les 20 minutes.

4. Retirer les jarrets de porc. Égoutter le liquide de cuisson et jeter les légumes. Remettre le liquide de cuisson dans la mijoteuse. Ajouter le reste des carottes et du céleri, et les jarrets de porc dans la mijoteuse **CROCK-POT**ᴹᴰ. Couvrir et laisser cuire à HIGH pendant 1 heure.

5. Vérifier la cuisson des jarrets de porc ; retirer un jarret et le placer dans une assiette : la viande doit être très tendre, mais encore attachée à l'os.

6. Pour servir, ajouter le couscous cuit dans la mijoteuse pour le réchauffer, environ 3 à 4 minutes. À l'aide d'une écumoire, placer le couscous, les carottes et le céleri dans des bols peu profonds. Placer un jarret de porc sur le dessus et verser quelques c. à soupe de jus de cuisson dans chaque bol.

| 4 portions | Préparation : 30 minutes | Cuisson : 3 heures (HIGH) |

Soupe au bœuf et à l'orge à l'italienne

1 bifteck de haut de surlonge désossé (environ 1½ lb ou 675 g)

1 c. à soupe (15 ml) d'huile végétale

4 carottes moyennes ou 4 panais moyens,
  coupés en tranches de 8 mm (¼ po)

1 tasse (250 ml) d'oignon haché

1 c. à thé (5 ml) de thym séché

½ c. à thé (2 ml) de romarin séché

¼ c. à thé (1 ml) de poivre noir

⅓ tasse (75 ml) d'orge perlé non cuit

2 boîtes (environ 14 oz ou 435 ml chacune) de bouillon de bœuf

1 boîte (environ 14 oz ou 435 ml) de tomates en dés avec
  assaisonnements italiens, non égouttées

1. Couper la viande en morceaux de 2,5 cm (1 po). Chauffer l'huile sur un feu moyen-vif dans une grande poêle. Brunir la viande de tous les côtés et réserver.

2. Placer les carottes et les oignons dans une mijoteuse **CROCK-POT**^{MD} de 4½ litres ; saupoudrer de thym, de romarin et de poivre. Ajouter l'orge et la viande. Verser le bouillon et les tomates sur la viande.

3. Couvrir et laisser cuire à LOW de 8 à 10 heures ou jusqu'à ce que la viande soit tendre.

Astuce : Choisir de l'orge perlé plutôt que de l'orge à cuisson rapide, car il résiste à une cuisson plus longue.

Environ 6 portions   Préparation : 20 minutes   Cuisson : 8 à 10 heures (LOW)

Soupe au poulet et aux tortillas

4 cuisses de poulet désossées, sans peau

2 boîtes (15 oz ou 470 ml chacune) de tomates en dés, non égouttées

1 boîte (4 oz ou 125 ml) de piment vert doux, égoutté

½ à 1 tasse (125 à 250 ml) de bouillon de poulet

1 oignon jaune, coupé en dés

2 gousses d'ail, hachées

1 c. à thé (5 ml) de cumin moulu

Sel et poivre au goût

4 tortillas de maïs, découpées en lanières de 8 mm (¼ po)

2 c. à soupe (30 ml) de coriandre fraîche hachée

½ tasse (125 ml) de Monterey Jack râpé

1 avocat, pelé, coupé en dés et enrobé de jus de lime pour éviter le brunissement

Pointes de lime

1. Placer le poulet dans une mijoteuse **CROCK-POT**^{MD} de 4½ litres. Mélanger les tomates avec leur jus, les piments, ½ tasse (125 ml) de bouillon, l'oignon, l'ail et le cumin dans un petit bol. Verser le mélange sur le poulet.

2. Couvrir et laisser cuire à LOW pendant 6 heures ou à HIGH pendant 3 heures ou jusqu'à ce que le poulet soit tendre. Retirer le poulet et le déchiqueter à l'aide de 2 fourchettes. Remettre le poulet dans le liquide de cuisson. Rectifier l'assaisonnement en y ajoutant le sel et le poivre et jusqu'à ½ tasse (125 ml) de bouillon de plus, si désiré.

3. Juste avant de servir, ajouter les tortillas et la coriandre dans la mijoteuse. Remuer pour mélanger. Servir dans des bols à soupe, garnir chaque portion de fromage, d'avocat et d'un peu de jus de lime.

4 à 6 portions	Préparation : 10 minutes	Cuisson : 6 heures (LOW) ou 3 heures (HIGH)

Niku Jaga
(Ragoût de bœuf à la japonaise)

2 c. à soupe (30 ml) d'huile végétale

2 lb (900 g) de bœuf à ragoût, coupé en cubes de 2,5 cm (1 po)

4 carottes moyennes, pelées et tranchées en diagonale

3 pommes de terre à chair jaune moyennes, pelées et hachées

1 oignon blanc, pelé et haché

1 tasse (250 ml) d'eau

½ tasse (125 ml) de saké ou de vin blanc sec

¼ tasse (60 ml) de sucre

¼ tasse (60 ml) de sauce soja

1 c. à thé (5 ml) de sel

1. Chauffer l'huile dans une poêle sur un feu moyen. Saisir la viande de tous les côtés, en la retournant à mesure qu'elle brunit. Transvider le bœuf dans une mijoteuse **CROCK-POT**^{MD} de 4 ½ litres.

2. Ajouter le reste des ingrédients. Remuer pour bien mélanger. Couvrir et laisser cuire à LOW de 10 à 12 heures ou à HIGH de 4 à 6 heures.

---

6 à 8 portions   **Préparation:** 10 minutes   **Cuisson:** 10 à 12 heures (LOW)
ou 4 à 6 heures (HIGH)

Soupe méditerranéenne aux tomates, à l'origan et à l'orzo

2	c. à soupe (30 ml) d'huile d'olive extravierge
1	gros oignon jaune, coupé en morceaux
3 ½	tasses de tomates fraîches, pelées* et écrasées
2	tasses (500 ml) de courges musquées, pelées et coupées en cubes de 1 cm (½ po)
1	tasse (250 ml) de carottes, pelées et coupées en allumettes
½	tasse (125 ml) de courgettes, nettoyées et tranchées
1	c. à soupe (15 ml) de feuilles de laurier fraîchement hachées ou 3 feuilles de laurier entières séchées
1	c. à soupe (15 ml) d'origan frais haché
1	boîte (15 oz ou 470 ml) de pois chiches, rincés et égouttés
2	tasses (500 ml) de bouillon de poulet
1	gousse d'ail, hachée
1	c. à thé (5 ml) de cumin moulu
¾	c. à thé (4 ml) de piment de la Jamaïque moulu
½	c. à thé (2 ml) de sel
¼	c. à thé (1 ml) de poivre noir
1 ½	tasse (375 ml) de pâtes orzo sèches

Pour peler les tomates, les plonger une à la fois dans de l'eau bouillante pendant environ 10 secondes (40 secondes si les tomates ne sont pas complètement mûres). Plonger immédiatement les tomates dans un bol d'eau glacée pendant 10 secondes. Peler.

1. Chauffer l'huile dans une poêle sur un feu moyen. Ajouter l'oignon. Faire cuire et remuer jusqu'à ce que l'oignon soit translucide et tendre, environ 10 minutes.

2. Ajouter les tomates, les courges, les carottes, les courgettes, les feuilles de laurier et l'origan. Faire cuire encore 25 à 30 minutes et remuer. Transvider dans une mijoteuse **CROCK-POT**^{MD} de 4 ½ litres.

3. Ajouter le reste des ingrédients, sauf les pâtes orzo. Couvrir et laisser cuire à LOW de 7 à 8 heures ou à HIGH de 4 à 5 heures.

4. Augmenter la température à HIGH. Ajouter l'orzo. Couvrir et laisser cuire de 30 à 45 minutes ou jusqu'à ce que les pâtes soient cuites. (Retirer les feuilles de laurier séchées avant de servir, le cas échéant.)

6 portions	Préparation : 45 minutes	Cuisson : 7 à 8 heures (LOW) ou 4 à 5 heures (HIGH), plus 30 à 45 minutes (HIGH)

Ragoût de poulet et patates douces

4 poitrines de poulet désossées, coupées en bouchées

2 patates douces moyennes, pelées et coupées en cubes

2 pommes de terre à chair jaune moyennes, pelées et coupées en cubes

2 carottes moyennes, pelées et coupées en tranches de 1 cm (½ po)

1 boîte (28 oz ou 870 ml) de tomates étuvées entières

1 c. à thé (5 ml) de sel

1 c. à thé (5 ml) de paprika

1 c. à thé (5 ml) de graines de céleri

½ c. à thé (2 ml) de poivre noir fraîchement moulu

⅛ c. à thé (0,5 ml) de cannelle moulue

⅛ c. à thé (0,5 ml) de muscade moulue

1 tasse (250 ml) de bouillon de poulet sans gras, à faible teneur en sodium

¼ de tasse (60 ml) de basilic frais, haché

1. Mélanger tous les ingrédients, sauf le basilic, dans une mijoteuse **CROCK-POT**ᴹᴰ de 4 ½ litres.

2. Couvrir et laisser cuire à LOW de 6 à 8 heures ou à HIGH de 3 à 4 heures.

3. Saupoudrer de basilic juste avant de servir.

Remarque : Ce ragoût léger est d'inspiration indienne et offre une excellente saveur sans contenir de gras.

Astuce : Vous pouvez doubler la quantité d'ingrédients et préparer le ragoût dans une mijoteuse **CROCK-POT**ᴹᴰ de 7 litres.

6 portions	Préparation : 15 minutes	Cuisson : 6 à 8 heures (LOW) ou 3 à 4 heures (HIGH)

Soupe à l'oignon gratinée caramélisée

4 **oignons doux très gros, pelés**
4 **c. à soupe (60 ml ou ½ bâtonnet) de beurre**
2 **tasses (500 ml) de vin blanc sec**
8 **tasses (2 litres) de bouillon de bœuf ou de légumes**
2 **tasses (500 ml) d'eau**
1 **c. à soupe (15 ml) de thym frais haché**
6 **gros croûtons assaisonnés**
1 **tasse (250 ml) de fromage suisse ou gruyère râpé**

1. Couper chaque oignon en quartiers puis en tranches de 8 mm (¼ po) d'épaisseur. Chauffer l'huile dans une poêle sur un feu moyen. Ajouter le beurre et les oignons. Faire cuire, environ 45 à 50 minutes, en remuant toutes les 7 à 8 minutes. Transvider les oignons dans une mijoteuse **CROCK-POT**^{MD} de 4 ½ litres lorsqu'ils sont tendres et caramélisés.

2. Ajouter le vin dans la poêle et laisser réduire le liquide jusqu'à environ ½ tasse (125 ml) en le laissant mijoter environ 15 minutes. Transvider dans la mijoteuse.

3. Verser le bouillon, l'eau et ajouter le thym dans la mijoteuse. Couvrir et laisser cuire à HIGH pendant 2 ½ heures ou jusqu'à ce que la soupe soit entièrement chauffée.

4. Pour servir, verser la soupe dans des bols individuels allant au four. Placer 1 croûton sur le dessus de chaque bol et y saupoudrer du fromage. Allumer le gril du four et placer les bols sur la grille supérieure du four. Laisser griller de 3 à 5 minutes ou jusqu'à ce que le fromage soit fondu et doré. Servir immédiatement.

| 6 portions | Préparation : environ 1 heure | Cuisson : 2 ½ heures (HIGH) |

Minestrone de grand-mère Ruth

1 lb (450 g) de bœuf haché
1 tasse (250 ml) de haricots rouges secs
1 paquet (16 oz ou 450 g) de légumes mélangés surgelés
2 boîtes (8 oz ou 250 ml chacune) de sauce tomate
1 boîte (14 oz ou 435 ml) de tomates en dés, égouttées
¼ de chou râpé
1 tasse (250 ml) d'oignons hachés
1 tasse (250 ml) de céleri haché
½ tasse (125 ml) de persil frais haché
1 c. à soupe (15 ml) de basilic séché
1 c. à soupe (15 ml) d'assaisonnements à l'italienne
1 c. à thé (5 ml) de sel
1 c. à thé (5 ml) de poivre noir
1 tasse (250 ml) de macaronis cuits

1. Mélanger le bœuf haché et les haricots dans une mijoteuse **CROCK-POT**^{MD} de 4 ½ litres. Couvrir et laisser cuire à HIGH pendant 2 heures.

2. Ajouter tous les autres ingrédients sauf les macaronis et remuer pour mélanger. Couvrir et laisser cuire à LOW de 6 à 8 heures ou jusqu'à ce que les haricots soient tendres.

3. Incorporer les macaronis. Couvrir et laisser cuire à HIGH pendant 1 heure.

4 portions	Préparation : 15 minutes	Cuisson : 3 heures (HIGH) plus 6 à 8 heures (LOW)

Ragoût de bœuf aux champignons sauvages

1 ½ à 2 lb (675 à 900 g) de bœuf à ragoût, coupée en cubes
      de 2,5 cm (1 po)

    2 c. à soupe (30 ml) de farine tout usage

    ½ c. à thé (2 ml) de sel

    ½ c. à thé (2 ml) de poivre noir

1 ½ tasse (375 ml) de bouillon de bœuf

    1 c. à thé (5 ml) de sauce Worcestershire

    1 gousse d'ail, hachée

    1 feuille de laurier

    1 c. à thé (5 ml) de paprika

    4 champignons shiitake, tranchés

    2 carottes moyennes, tranchées

    2 pommes de terre moyennes, coupées en dés

    1 petit oignon blanc, haché

    1 branche de céleri, tranchée

1. Mettre le bœuf dans une mijoteuse **CROCK-POT**^{MD} de 4 ½ litres. Mélanger la farine, le sel et le poivre et saupoudrer sur la viande. Remuer pour enrober de farine chaque morceau de viande. Ajouter le reste des ingrédients et remuer pour bien mélanger.

2. Couvrir et laisser cuire à LOW de 10 à 12 heures ou à HIGH de 4 à 6 heures. Remuer le ragoût avant de servir.

Remarque : Les savoureux champignons shiitake rehaussent ce ragoût de bœuf classique. Si des champignons shiitake frais ne sont pas vendus dans votre épicerie locale, vous pouvez les remplacer par d'autres champignons de votre choix. Pour plus de punch, ajouter au ragoût quelques bolets séchés.

5 portions	**Préparation :** 15 à 20 minutes	**Cuisson :** 10 à 12 heures (LOW) ou 4 à 6 heures (HIGH)

Soupe au poulet fiesta

4 poitrines de poulet désossées, sans peau, cuites et effilochées

1 boîte (14 ½ oz ou 450 ml) de tomates étuvées, égouttées

2 boîtes (4 oz ou 125 ml chacune) de piment vert haché

1 boîte (28 oz ou 870 ml) de sauce enchilada

1 boîte (14 ½ oz ou 450 ml) de bouillon de poulet

1 tasse (250 ml) d'oignons finement hachés

2 gousses d'ail, hachées

1 c. à thé (5 ml) de cumin moulu

1 c. à thé (5 ml) de poudre de chili

¾ c. à thé (4 ml) de poivre

1 c. à thé (5 ml) de sel

¼ tasse (60 ml) de coriandre fraîche hachée finement

1 tasse (250 ml) de maïs à grains entiers congelé

1 courge jaune, en dés

1 courgette, en dés

8 coquilles tostada, émiettées

8 oz (225 g) de fromage cheddar râpé

1. Mélanger le poulet, les tomates, le piment vert, la sauce enchilada, le bouillon, l'oignon, l'ail, le cumin, la poudre de chili, le poivre, le sel, la coriandre, le maïs, la courge et la courgette dans une mijoteuse **CROCK-POT**^{MD} de 4 ½ litres.

2. Couvrir et laisser cuire à LOW pendant 8 heures. Pour servir, remplir des bols individuels de soupe. Garnir de miettes de coquilles tostada et de fromage.

---

8 portions   Préparation : 5 minutes   Cuisson : 8 heures (LOW)

Bisque de crabe crémeuse

- **4** tasses (1 litre) de crème épaisse
- **3** tasses (750 ml) de chair de crabe fraîche, décortiquée et en flocons
- **3** c. à soupe (45 ml) de beurre doux
- **2** c. à thé (10 ml) de zeste de citron râpé
- **1** c. à thé (5 ml) de jus de citron
- **½** c. à thé (2 ml) de muscade moulue
- **¼** c. à thé (1 ml) de piment de la Jamaïque moulu
- **3** c. à soupe (45 ml) de vin rouge sec
- **½** tasse (125 ml) de *mandlen* préparés*, réduits en miettes

Les mandlen sont des craquelins à base de farine de matzo qui ressemblent à des petites pépites. On les trouve dans les allées des aliments exotiques de nombreux supermarchés. On peut les remplacer par des craquelins ronds au beurre.

1. Mélanger la crème, le crabe, le beurre, le zeste de citron, le jus de citron, la muscade et le piment de la Jamaïque dans une mijoteuse **CROCK-POT**ᴹᴰ de 4 ½ litres. Remuer pour bien mélanger. Couvrir et laisser cuire à LOW de 1 à 2 heures.

2. Pour servir, incorporer le vin. Ajouter la chapelure de *mandlen* pour épaissir la soupe et remuer de nouveau. Poursuivre la cuisson encore 10 minutes.

6 à 8 portions   **Préparation:** 5 minutes   **Cuisson:** 1 à 2 heures (LOW)

Chaudrée de maïs et poivrons rouges rôtis

- 2 c. à soupe (30 ml) d'huile d'olive extravierge
- 2 tasses (500 ml) de maïs en grains frais ou surgelé, décongelé
- 1 poivron rouge, évidé, épépiné et coupé en dés
- 2 oignons verts, tranchés
- 4 tasses (1 litre) de bouillon de poulet
- 2 pommes de terre à cuisson au four pelées et coupées en dés
- 1 c. à thé (5 ml) de sel
- ½ c. à thé (2 ml) de poivre noir
- 1 boîte (13 oz ou 400 ml) de lait évaporé
- 2 c. à soupe (30 ml) de persil plat haché

1. Chauffer l'huile dans une poêle sur un feu moyen. Ajouter le maïs, le poivron et les oignons. Cuire et remuer jusqu'à ce que les légumes soient tendres et légèrement dorés, environ 7 à 8 minutes. Transvider dans une mijoteuse **CROCK-POT**^{MD} de 4 ½ litres.

2. Ajouter le bouillon, les pommes de terre, le sel et le poivre. Remuer pour bien mélanger. Couvrir et laisser cuire à LOW de 7 à 9 heures ou à HIGH de 4 à 5 heures.

3. Trente minutes avant de servir, ajouter le lait. Remuer pour bien mélanger et poursuivre la cuisson. Au moment de servir, garnir de persil.

| 4 portions | Préparation : 15 minutes | Cuisson : 7 à 9 heures (LOW) ou 4 à 5 heures (HIGH) |

Les éternelles gâteries

Beurre de pomme épicé

> 5 lb (2,5 kg) de pommes à cuire (McIntosh, Granny Smith, Rome Beauty ou York Imperial), pelées, évidées et coupées en quartiers (environ 10 grosses pommes)
> 1 tasse (250 ml) de sucre
> ½ tasse (125 ml) de jus de pomme
> 2 c. à thé (10 ml) de cannelle moulue
> ½ c. à thé (2 ml) de clou de girofle moulu
> ½ c. à thé (2 ml) de piment de la Jamaïque moulu

1. Mélanger tous les ingrédients dans une mijoteuse **CROCK-POT**^{MD} de 4 ½ litres. Couvrir et laisser cuire à LOW de 8 à 10 heures ou jusqu'à ce que les pommes soient très tendres.

2. Écraser les pommes au pilon. Laisser cuire, à découvert, à LOW pendant 2 heures ou jusqu'à épaississement de la purée, en remuant de temps en temps pour éviter qu'elle ne colle.

Suggestion pour le service : Le beurre de pomme maison tartiné sur les rôties ou les muffins est un excellent substitut à la confiture ou à la gelée vendue dans les magasins. Pour un dessert instantané, faites griller quelques tranches de gâteau quatre-quart et tartinez-y du beurre de pommes !

Environ 6 tasses (1,5 l)　　　**Préparation :** 25 minutes　　**Cuisson :** 10 à 12 heures (LOW)

Plum-pouding

2 ½ tasse (625 ml) de lait

4 œufs, légèrement battus

10 tranches de pain blanc coupées en cubes de 5 cm (2 po)

2 ¼ tasse (560 ml) de farine tout usage

2 ¼ tasse (560 ml) de cassonade pâle tassée

5 c. à thé (25 ml) de cannelle moulue

2 c. à thé (10 ml) de bicarbonate de sodium

2 c. à thé (10 ml) de clou de girofle moulu

2 c. à thé (10 ml) de clou de macis moulu

1 c. à thé (5 ml) de sel

½ tasse (125 ml) de jus d'orange

3 c. à thé de vanille

3 tasses de raisins secs

2 tasses (500 ml) de pruneaux séchés

1 tasse (250 ml) de fruits séchés mélangés

1. Enduire l'intérieur d'une mijoteuse **CROCK-POT**^{MD} de 4 ½ litres d'un aérosol de cuisson antiadhésif. Mélanger le lait et les œufs dans un grand bol. Ajouter le pain et laisser tremper.

2. Mélanger la farine, la cassonade, la cannelle, le bicarbonate de sodium, le clou de girofle, le macis et le sel. Incorporer le jus d'orange et la vanille en remuant jusqu'à consistance lisse. Ajouter les raisins secs, les pruneaux et les fruits séchés.

3. Placer le pain dans la mijoteuse. Verser le mélange de fruits sur le pain. Couvrir et laisser cuire à LOW de 6 à 7 heures ou à HIGH de 2 à 4 heures. Servir tiède.

8 à 10 portions	Préparation : 15 minutes	Cuisson : 6 à 7 heures (LOW) ou 2 à 4 heures (HIGH)

Crème-dessert vapeur aux patates douces

1 boîte (16 oz ou 500 ml) de patates douces coupées, égouttées
1 boîte (12 oz ou 375 ml) de lait évaporé
½ tasse (125 ml) de cassonade pâle tassée
2 œufs, légèrement battus
1 c. à thé (5 ml) de cannelle moulue
½ c. à thé (2 ml) de gingembre moulu
¼ c. à thé (1 ml) de sel
   Crème fouettée
   Muscade moulue

1. Passer au robot culinaire ou au mélangeur les patates douces et ¼ tasse (60 ml) de lait évaporé jusqu'à consistance lisse. Ajouter le reste du lait, la cassonade, les œufs, la cannelle, le gingembre et le sel, et bien mélanger. Verser dans un moule à soufflé de 1 litre non graissé. Couvrir hermétiquement de papier d'aluminium. Chiffonner une grande feuille de papier d'aluminium (environ 15 po x 12 po ou 8 cm x 30 cm) et la placer dans le fond d'une mijoteuse **CROCK-POT**^{MD} de 4 ½ litres. Verser 2 tasses (500 ml) d'eau sur le papier d'aluminium. Fabriquer des poignées d'aluminium*.

2. Transvider le moule à soufflé dans une mijoteuse **CROCK-POT**^{MD} de 4 ½ litres en utilisant des poignées de papier d'aluminium. Couvrir et laisser cuire à HIGH 2 ½ à 3 heures ou jusqu'à ce qu'une brochette de bois insérée au centre en ressorte propre.

3. Utiliser les bandes de papier d'aluminium pour soulever le moule, mettre sur une grille. Retirer le papier et laisser reposer 30 minutes. Garnir de crème fouettée et de muscade.

Pour faire des poignées en papier d'aluminium, déchirer 3 bandes (18 x 3 po ou 46 x 7,5 cm) de papier d'aluminium robuste. Entrecroiser les bandes pour qu'elles ressemblent aux rayons d'une roue. Placer le moule ou le mets au centre des bandes. Tirer les bandes de papier d'aluminium vers le haut et par-dessus le plat, puis placer le tout dans la mijoteuse. Laisser les bandes de papier d'aluminium dans la mijoteuse pendant la cuisson, de manière à pouvoir facilement retirer le mets une fois la cuisson terminée.

| 4 portions | Préparation : 15 minutes | Cuisson : 2 ½ à 3 heures (HIGH) |

Pouding au pain et au chocolat mexicain

1 ½ tasse (375 ml) de crème légère

4 oz (120 g) de chocolat non sucré, grossièrement haché

2 œufs, battus

½ tasse (125 ml) de sucre

¾ c. à thé (4 ml) de cannelle moulue

½ c. à thé (2 ml) de piment de la Jamaïque moulu

1 c. à thé (5 ml) de vanille

⅛ c. à thé (0,5 ml) de sel

½ tasse (125 ml) de raisins de Corinthe

3 tasses (750 ml) de pain sucré de style hawaïen, de pain *challah* ou de pain aux œufs, coupé en cubes de 1 cm (½ po)

Crème fouettée (facultatif)

Noix de macadamia hachées (facultatif)

1. Chauffer la crème dans une grande casserole. Ajouter le chocolat et mélanger jusqu'à ce que le chocolat fonde.

2. Mélanger les œufs, le sucre, la cannelle, le piment de la Jamaïque, la vanille et le sel dans un bol moyen. Incorporer les raisins secs. Ajouter au mélange au chocolat. Remuer pour bien mélanger. Verser dans une mijoteuse **CROCK-POT**ᴹᴰ de 4 ½ litres.

3. Incorporer délicatement les cubes de pain à l'aide d'une spatule en plastique. Couvrir et laisser cuire à HIGH de 3 à 4 heures ou jusqu'à ce qu'un couteau inséré au centre en ressorte propre.

4. Servir chaud ou froid. Si désiré, garnir d'une généreuse cuillérée de crème fouettée et saupoudrer de noix.

6 à 8 portions | **Préparation:** 15 minutes | **Cuisson:** 3 à 4 heures (HIGH)

Pouding au pain et à la citrouille

Pouding au pain

- 2 tasses (500 ml) de lait entier
- 2 c. à soupe (30 ml) de beurre
- 3 gros œufs
- 1 tasse (250 ml) de purée de citrouille
- 2 c. à thé (10 ml) de vanille
- ½ tasse (125 ml) de cassonade foncée bien tassée
- 1 c. à soupe (15 ml) de cannelle moulue
- ½ c. à thé (2 ml) de muscade moulue
- ¼ c. à thé (1 ml) de sel
- 16 tranches de pain aux raisins et à la cannelle, déchirées en petits morceaux (8 tasses ou 2 litres en tout)

Sauce

- ½ tasse (125 ml ou 1 bâtonnet) de beurre
- ½ tasse (125 ml) de cassonade foncée bien tassée
- ½ tasse (125 ml) de crème épaisse
- 2 c. à soupe (30 ml) de bourbon (facultatif)

1. Vaporiser légèrement l'intérieur d'une mijoteuse **CROCK-POT**^{MD} de 3 ½ à 4 litres d'un aérosol de cuisson antiadhésif.

2. Pour faire le pudding, placer le lait et le beurre dans un bol allant au micro-ondes, chauffer au micro-ondes à puissance élevée 2 ½ à 3 minutes ou jusqu'à ce que le tout soit très chaud.

3. Mélanger les œufs, la citrouille, la vanille, la cassonade, la cannelle, la muscade et le sel dans un grand bol. Fouetter jusqu'à ce que le tout soit bien mélangé. Ajouter le lait chaud et bien mélanger. Ajouter les cubes de pain et remuer délicatement pour bien les enrober.

4. Déposer le mélange de pain dans la mijoteuse **CROCK-POT**^{MD} et couvrir. Laisser cuire à HIGH 2 heures ou jusqu'à ce qu'un couteau inséré au centre en ressorte propre. Éteindre la mijoteuse. Retirer le couvercle et laisser reposer 15 minutes.

5. Pour faire la sauce, mélanger le beurre, la cassonade et la crème dans une petite casserole. Porter à ébullition sur un feu moyen-vif en remuant souvent. Retirer du feu. Incorporer le bourbon, si désiré. Verser le pouding au pain à la cuillère dans des bols individuels et napper de sauce.

Remarque : La sauce doit être utilisée immédiatement.

| 8 portions | Préparation : 15 minutes | Cuisson : 2 heures (HIGH) |

Gâteau au rhum, cola, cerises et chocolat

Gâteau

½ tasse (125 ml) de cola

½ tasse (125 ml) de cerises acides séchées

1 tasse (250 ml) de lait au chocolat

½ tasse (125 ml ou 1 bâtonnet) de beurre doux, fondu

2 c. à thé (10 ml) de vanille

1 ½ tasse (375 ml) de farine tout usage

½ tasse (125 ml) de chocolat sucré moulu

½ tasse (125 ml) de sucre granulé

2 ½ c. à thé (2 ml) de poudre à pâte

½ c. à thé (2 ml) de sel

Garniture

1 ¼ tasse (310 ml) de cola vanille

¼ tasse (60 ml) de rhum brun

½ tasse (125 ml) de chocolat sucré rapé

½ tasse (125 ml) de sucre granulé

½ tasse (125 ml) de cassonade tassée

1. Enduire l'intérieur d'une mijoteuse **CROCK-POT**ᴹᴰ de 4 ½ litres d'un aérosol de cuisson antiadhésif. Porter à ébullition le cola et les cerises séchées dans une casserole. Retirer du feu ; laisser les cerises reposer 30 minutes.

2. Mélanger le lait au chocolat, le beurre fondu et la vanille dans un petit bol. Mélanger la farine, le chocolat moulu, le sucre granulé, la poudre à pâte et le sel dans un bol moyen ; bien mélanger. Faire un puits au centre des ingrédients secs, incorporer le mélange au lait et mélanger jusqu'à consistance lisse. Incorporer le mélange aux cerises dans la pâte. Verser dans la mijoteuse.

3. Pour préparer la garniture, amener à ébullition le cola vanille et le rhum dans une petite casserole. Retirer du feu. Ajouter le chocolat rapé, le sucre et la cassonade ; remuer jusqu'à consistance lisse. Verser délicatement sur la pâte. Ne

pas remuer. Couvrir et laisser cuire à HIGH pendant 2 ½ heures ou jusqu'à ce que le gâteau soit gonflé et que la couche supérieure soit prise.

4. Éteindre la mijoteuse. Laisser reposer à couvert pendant 30 minutes. Servir tiède. Garnir au goût.

| 8 à 10 portions | Préparation : 15 minutes | Cuisson : 2 ½ heures (HIGH) |

Coupes de brownies

½ tasse (125 ml) de cassonade

¾ tasse (175 ml) d'eau

2 c. à soupe (30 ml) de poudre de cacao

2 ½ tasses (625 ml) de mélange à brownies

1 paquet (2 ¾ oz ou 80 g) de mélange à pouding
   au chocolat instantané

½ tasse (125 ml) de pépites de chocolat au lait

2 œufs, battus

3 c. à soupe (45 ml) de beurre ou de margarine, fondu

1. Enduire l'intérieur d'une mijoteuse **CROCK-POT**^{MD} de 4 ½ litres d'un aérosol de cuisson antiadhésif. Dans une petite casserole, mélanger la cassonade, le cacao et l'eau ; porter à ébullition.

2. Pendant ce temps, mettre le mélange à brownies, le mélange à pouding, les pépites de chocolat, les œufs et le beurre dans un bol moyen et remuer pour bien mélanger. Étaler la pâte dans la mijoteuse préparée ; verser le mélange au sucre bouillant sur la pâte. Couvrir et laisser cuire à HIGH pendant 1 ½ heure.

3. Éteindre la mijoteuse et laisser reposer à couvert 30 minutes. Servir tiède.

Remarque : Servir ce dessert chaud au chocolat avec de la crème fouettée ou de la crème glacée.

Astuce : Pour préparer une double recette, utiliser une mijoteuse **CROCK-POT**^{MD} de 5, 6 ou 7 litres et doubler les quantités d'ingrédients.

| 6 portions | Préparation : 15 minutes | Cuisson : 1 ½ heure (LOW) |

Croquant aux fraises et à la rhubarbe

Fruits

4 tasses (1 litre) de fraises équeutées tranchées

4 tasses (1 litre) de rhubarbe (environ 5 tiges),
coupée en dés de 1 cm (½ po)

1 ½ tasse (375 ml) de sucre granulé

2 c. à soupe (30 ml) de jus de citron

1 ½ c. à soupe (25 ml) de fécule de maïs, en plus de l'eau (facultatif)

Garniture

1 tasse (250 ml) de farine tout usage

1 tasse (250 ml) d'avoine à l'ancienne

½ tasse (125 ml) de sucre granulé

½ tasse (125 ml) de cassonade

½ c. à thé (2 ml) de gingembre moulu

½ c. à thé (2 ml) de muscade moulue

½ tasse (125 ml ou 1 bâtonnet) de beurre, coupé en morceaux

½ tasse (125 ml) d'amandes tranchées, grillées*

Pour faire griller les amandes, répartir en une seule couche sur une plaque de cuisson. Faire griller dans un four préchauffé à 180 °C (350 °F) de 8 à 10 minutes ou jusqu'à ce que les amandes soient dorées, en remuant fréquemment.

1. Préparer les fruits. Enduire l'intérieur d'une mijoteuse **CROCK-POT**ᴹᴰ de 4 ½ litres d'un aérosol de cuisson antiadhésif. Placer les fraises, la rhubarbe, le sucre granulé et le jus de citron dans la mijoteuse et bien mélanger. Cuire à HIGH pendant 1 ½ heure ou jusqu'à ce que les fruits soient tendres.

2. Si les fruits sont secs après la cuisson, ajouter un peu d'eau. Si les fruits sont trop liquides, mélanger de la fécule de maïs à une petite quantité d'eau et incorporer aux fruits. Cuire à HIGH encore 15 minutes ou jusqu'à ce que le liquide de cuisson ait épaissi.

3. Préchauffer le four à 190 °C (375 °F). Préparer la garniture. Mélanger la farine, l'avoine, le sucre, la cassonade, le gingembre et la muscade dans un bol moyen.

Couper le beurre dans la pâte au mélangeur ou à l'aide de 2 couteaux jusqu'à ce que le mélange ait la consistance de miettes grossières. Incorporer les amandes.

4. Retirer le couvercle de la mijoteuse et saupoudrer légèrement la garniture sur les fruits. Mettre la cuve en grès dans le four. Cuire au four de 15 à 20 minutes ou jusqu'à ce que la garniture commence à brunir.

8 portions	Préparation : 20 minutes	Cuisson : 1 ½ à 1 ¾ heure (HIGH)

Gâteau chaud au chocolat

1 ¾ tasse (425 ml) de cassonade pâle tassée

2 tasses (500 ml) de farine tout usage

¼ tasse (60 ml) plus 3 c. à soupe (45 ml)
de poudre de cacao non sucrée

2 c. à thé (10 ml) de poudre à pâte

1 c. à thé (5 ml) de sel

1 tasse (250 ml) de lait

4 c. à soupe (60 ml ou ½ bâtonnet) de beurre, fondu

1 c. à thé (5 ml) de vanille

3 ½ tasses (875 ml) d'eau bouillante

1. Enduire l'intérieur d'une mijoteuse **CROCK-POT**^{MD} de 4 ½ litres d'un aérosol de cuisson antiadhésif ou de beurre. Mélanger 1 tasse (250 ml) de cassonade, la farine, 3 c. à soupe (45 ml) de poudre de cacao, la poudre à pâte et le sel dans un bol moyen. Incorporer le lait, le beurre et la vanille. Bien mélanger. Verser dans la mijoteuse.

2. Mélanger ¾ de tasse de cassonade et ¼ tasse (60 ml) de poudre de cacao dans un petit bol. Saupoudrer uniformément sur la pâte du gâteau. Verser l'eau bouillante. Ne pas remuer.

3. Couvrir et laisser cuire à HIGH 1 ¼ à 1 ½ heure ou jusqu'à ce qu'un cure-dent inséré au centre en ressorte propre. Laisser le gâteau reposer 10 minutes ; renverser dans un plat de service ou déposer à la cuillère dans des bols à dessert. Servir chaud ; saupoudrer de poudre de cacao, si désiré.

| 6 à 8 portions | Préparation : 15 minutes | Cuisson : 1 ¼ à 1 ½ heure (HIGH) |

Tableau de conversion métrique

MESURES DE VOLUME (sec)

⅛ cuillère à thé = 0,5 ml
¼ cuillère à thé = 1 ml
½ cuillère à thé = 2 ml
1 cuillère à thé = 5 ml
1 cuillère à table = 15 ml
2 cuillères à table = 30 ml
¼ tasse = 60 ml
⅓ tasse = 75 ml
½ tasse = 125 ml
⅔ tasse = 150 ml
¾ tasse = 175 ml
1 tasse = 250 ml
2 tasses = 1 chopine = 500 ml
3 tasses = 750 ml
4 tasses = 1 pinte = 1 l

MESURES DE VOLUME (liquide)

1 once liquide (2 cuillères à table) = 30 ml
4 onces liquides (½ tasse) = 125 ml
8 onces liquides (1 tasse) = 250 ml
12 onces liquides (1 ½ tasse) = 375 ml
16 onces liquides (2 tasses) = 500 ml

POIDS (masse)

½ once = 15 g
1 once = 30 g
3 onces = 90 g
4 onces = 120 g
8 onces = 225 g
10 onces = 285 g
12 onces = 360 g
16 onces = 1 livre = 450 g

DIMENSIONS PLATS DE CUISSON

Ustensiles	Dimensions en pouces/litres	Volumes métrique	Dimensions en centimètres
Plaque à pâtisserie ou moule à gâteau (carré ou rectangulaire)	8 x 8 x 2	2 l	20 x 20 x 5
	9 x 9 x 2	2,5 l	23 x 23 x 5
	12 x 8 x 2	3 l	30 x 20 x 5
	13 x 9 x 2	3,5 l	33 x 23 x 5
Moule à pain	8 x 4 x 3	1,5 l	20 x 10 x 7
	9 x 5 x 3	2 l	23 x 13 x 7
Moule à gâteau rond	8 x 1 ½	1,2 l	20 x 4
	9 x 1 ½	1,5 l	23 x 4
Moule à tarte	8 x 1 ¼	750 ml	20 x 3
	9 x 1 ¼	1 l	23 x 3
Marmite ou cocotte	1 pinte	1 l	-
	1 ½ pinte	1,5 l	-
	2 pintes	2 l	-

DIMENSIONS

1/16 po = 2 mm
⅛ po = 3 mm
¼ po = 6 mm
½ po = 1,5 cm
¾ po = 2 cm
1 po = 2,5 cm

TEMPÉRATURES

250 °F	=	120 °C
275 °F	=	140 °C
300 °F	=	150 °C
325 °F	=	160 °C
350 °F	=	180 °C
375 °F	=	190 °C
400 °F	=	200 °C
425 °F	=	220 °C
450 °F	=	230 °C